放送大学叢書　061　文学のエコロジー

JN091732

文学のエコロジー　目次

まえがき

「文学のエコロジー」とは、いささか奇異なタイトルかもしれないが、学際的あるいは超域的な科目をという放送大学における制度的な要望に応えて、このような名称の科目を試みたという事情がある。

「エコロジー」という単語を国語辞典で引いてみると、「1・生態学、2・自然環境保護」となっている。われわれは「文学」というと、どうしても「作品」とか「作家」を思い浮かべる。しかしながら、そうした「作品」が、いかなるプロセスで成立したのか、また、いかなる環境で流通し、受容されたのかといった問題を捨象して、純粋にテクストだけを対象とするのは、「文学」の理解にとっても、けっして幸福なこととはいえないであろう。

たとえば、特定の個人によってではなく、口頭による伝承によって、徐々に形をなしていく「文学」も存在するのだし、「作品」の媒体や流通ということならば、音声、写本、活字本、インターネットなど、さまざまなケースが考えられるはずで、各ケースによって「作品」の意味合いも異なってくるように思われる。古い時代の文学が、近代の「作品」「作者」「著作権」といった観念では把握しがたい「環境」のなかに置かれていたことも忘れるべきではない。

本書は、以上のような観点から、さまざまな時代の「文学」について、多様な視点から論じている。既存の学問領域からいうと、「文学史」「文献学」「書物と出版の歴史」「情報文化論」といったものと重なる。

グローバル化・サイバー化という荒波にもまれて、「文学」の概念自体も変容を余儀なくされているし、「古典」に代表されるような、従来の「文学」は押され気味である。大学の「英文学科」も、「文学」という呼称をあえて消して、「英語英米文化学科」のように名称変更することで生き残りを図ろうとしているのが現実である。なんとも残念なことである。「文学のエコロジー」という科目名には、こうした動きに抗して、「文学」の「環境保護」を訴えようという気持ちもなくはない。したがって、特定の文学作品や書簡を、さらには裁判の判決文などを、意識的に長めに引用してある。文学作品はいずれも翻訳が存在するメジャーな古典を選んであるので、作品との出会いを奇貨として、通読をめざしてほしい。そのことによって「文学のエコロジー」を守り、次の世代へと伝えていただければさいわいである。
なお、今回の単行本化に際しては、左右社の堀川夢さんに、堀川さん退社後は、三上真由さんにお世話になった。お二人に深く感謝したい。

二〇二三年春　　宮下志朗

(付記) 本書は「放送大学叢書」の一冊である。放送大学教材、宮下志朗編『文学のエコロジー』(二〇一三年)を中心として編んだが、次の二編は、それ以外の教材から選んである。第六章(宮下志朗・井口篤編『中世・ルネサンス文学』二〇一四年、第十三章)、第十一章(宮下志朗・小野正嗣編『世界文学への招待』二〇一六年、第八章)。

◉第一章　口誦文学と写本をめぐって

一　「文学のエコロジー」とは?

「文学」に関して「エコロジー」という用語を使うのは、やや無理筋かもしれないが、「文学」を取り囲む「環境」とか、あるいは「文学」という言語表現のシステムを成立させている「枠組み」といったものとして、緩やかに了解しておきたい。本書では、その歴史的な変容に焦点を当てて議論を展開していく。

たとえば「作者」と「作品」について考えてみよう。「作者X」による「作品Y」が存在したとする。この場合、創作者であるXは作品Yに関する「著作権」を所有するものと了解されている。のみならず、作者Xの死後も、これが現在の日本の話ならば、七十年間は法律によって「著作権」という知的所有権が保護されることになっている。

しかしながら、こうした「作者」と「作品」をめぐる「環境」は、あくまでも近代以降の現象であって、昔はそうではなかった。そもそも、その昔の口承文学の場合には、「作品」を特定の「作者」と結びつけられるような事例自体、ほとんど皆無かと思われる。たとえば民族の叙事詩といったジャンルは、いわば共同体の幻想を基盤にして、多数の無名の人々が次々とそこに民族のエートス（倫理的・心的な態度）を注ぎ込むことによって比較的長い時間をかけて徐々に変貌を遂げながら成立したというのが、標準的なイメージかと思われる。したがって、そうした叙事詩の「作者」を特定の個人に帰することは、原理的に困難だといえよう。

「いや、ホメロスがいますよ」という反論が、ただちに予想される。たしかに、われわれはホメロス作とされる『イーリアス』と『オデュッセイア』を持っている。けれども、ホメロスという叙事詩人と、『イーリアス』及び『オデュッセイア』という二つの叙事詩の成立をめぐる事情は曖昧模糊としている。そもそも、前者だけをホメロス作とする説も強いし、ホメロスの実体と『イーリアス』『オデュッセイア』との関わりをめぐる、いわゆる「ホメロス問題」は現在も決着が付いてはいない。しかしながら、「ホメロスの」と作品に冠を付けて呼んだ方がはるかに便利であるから、文学史なども、そのように記してから、改めて「ホメロス問題」に言及したりするのである。

ともあれ、（ホメロスの）『イーリアス』『オデュッセイア』は、テクストとして定着されたことによって、後世に伝わった。一般的にはこの二大叙事詩の成立、つまりテクストの固定化は紀元前八世紀といわれる。ただし、最古の写本は紀元前三世紀とか二世紀のパピルスによる断片だという。そのパピルスが仮に最古の写本だとするならば、「作品」の成立から「写本」の成立までに五百年以上もの年月が経っていることになるのだが、はたして、これは空白期間なのだろうか？　そうではない。二大叙事詩は「ラプソードス」と呼ばれるプロの芸人によって記憶され、朗唱されることで伝承されてきたのである。

では、われわれはいかなるテクストでホメロスを読んでいるのだろうか？　『イーリアス』にしても、『オデュッセイア』にしても、実際はさまざまな時代の多くの写本によって残されてきたわけだが、それらのテクスト（本文）は同一とはいえない。そもそも、手で書き写す場合には一行抜かしてしまうとか、知らない単語があれば知っている単語に勝手に直してしまう等々、大小さまざまのアクシデントが起こりがちで、異なるテクストが出来上がるのは避けがたい。意識的か無意識かは別として、写字生が本文に介入しているのが事実なのだ。したがって、仮に五つの写本で伝わっている作品ならば、多少とも異なるテクストが、しかも本文の一部が欠けたりして不備のありがちなテクストが五種類存在することになる。

そこで登場するのが、複数の写本を比較・校合して、しかるべく本文を定めるところの校訂者という存在である。もちろん、本文校訂の方法や姿勢も学者により差があるし、学派といったものも存在するから、結果として異なる批評版が流通することになる。ホメロスの校訂は、早くも前三世紀頃に、アレクサンドリアの文法家や文献学者たちによって開始されたという。こうした「文献学」的な探索の結果として、『イーリアス』『オデュッセイア』の作者としてのホメロスが浮上してきたともいえる。その後、十九世紀、二十世紀になると、各国の碩学によるいくつもの校訂版が出たことは申すまでもない。このようにして、われわれは学者たちによる「編集」が加えられた作品を読んでいるのであり、決してオリジナルのテクストを読んでいるわけではない。外国文学の場合は、さらに翻訳というフィルターを通してわれわれは作品を読んでいる。それなくして、ホメロスが世界に冠たる古典になれたはずもないのだ。

要するに、写本文化の時空間においては、「作品」は、程度の差こそあれ、さまざまな改変を加えられながら、場所を変え、時代を変えて書写されていったのだ。したがって、著作者の意志に反するテクストの変更は許されないという、「著作権」のうちの「同一性保持権」と呼ばれる近代の観念などは問題外であった。もちろん、『聖書』やそれに準ずる聖典のたぐいが、特権的な例外に属していたことはいうまでもない。本文の揺らぎは教えの揺らぎと直結するから、「同一性保持権」こそが大前提であり、勝手な書き換えは許されなかった。当然の話だ。あるいは『イーリアス』や『オデュッセイア』の場合にしても、その成立過程の謎はともかくとして、作品が完成の域に達した段階からは、「ラプソードス」たちは、もっぱら書かれたテクストを読むようになったともいわれる。詩人ホメロスとその作品が聖別されて、本文の改変や脚色はまかりならぬという状況になったことの証左かと思われる。他方、作品成立以前の「アオイドス」と呼ばれる吟唱詩人たちは、ポルミンクス（竪琴）を弾きながら、即興的に、創作をも交えながら歌ったと伝えられるから、かなり対照的である。

いずれにしても、昔の文学は、近代の「作者」「作品」「著作権」といった観念ではとらえがたいところの、文化的・法的な「環境」のなかに置かれていた。こうした歴史的な「環境」を十分に意識しながら、「文学」の「生態学（エコロジー）」について考えてみたい。

二　ロマンス語の成立と叙事詩

「文学」（ここでは哲学や演劇なども含んだ広い意味に解釈している）は言語芸術作品であるから、「言語」がなくては成り立たない。当たり前の話だ。これを逆手にとったのが「パントマイム」で、ギリシア・ローマの昔から存在したが、これとても「身体言語」を用いた芝居である事実に変わりはない。

「文学」の前提としては、音声言語、書記言語、身体言語といった、支えとなる「言語」の問題を避けては通れない。そこで本章では、中世フランスを対象にして、その言語的「エコロジー」を押さえておきたい。

現在のフランスに相当するガリア（フランス語ではゴール）地域では、ローマ帝国の言語であるラテン語が用いられていた。だがローマ帝国崩壊後、そのラテン語は少しずつ崩れていき（「俗ラテン語」とも呼ばれる）、やがてはラテン語から遊離した「話しことば」が形成されていく。そして九世紀頃には、いつのまにか中世フランス語という新たな「世俗語」ができていた（知らぬ間に少しずつ変化していて、気がついたら別物だったということこそ、言語の特性である）。他の地域でも、同様の現象が進行した。崩れたラテン語から派生した、フランス語、スペイン語、イタリア語、ポルトガル語、ルーマニア語などを「ロマンス語」と総称する。それらはいずれも、ラテン語という親から生まれた兄弟であって、英語、ドイツ語といった「ゲルマン諸語」と並んで、いわゆる「インド＝ヨーロッパ語」の一翼をになっている。

けれども、ロマンス語としてのフランス語は、まだ統一された言語（「国家語」）にはなっていない。ガリア北部（現在のフランスの北半分）ではゲルマン語の影響も受けた「ラング・ドイユ」と呼ばれるフランス語が使われ、ガリア南部ではよりラテン語に近い「ラング・ドック」という、もうひとつのフランス語が使われていたのだ。この南北の言語的・文化的な対立は、最終的には、「ラング・ドイユ」のうちでも、パリを擁する「イル・ド・フランス」の方言が「標準語」としてのステータスを獲得することで決着が付く。こうして、いわゆる「国家語」としてのフランス語が誕生して、やがて綴りや文法も整備されて、十七世紀には、現代のフランス語とさほど遠くない古典フランス語が成立するのである。以上が、「フランス語」成立までのアウトラインである。

ところで、こうした言語共同体の創成期には、その民族の歴史を飾る英雄たちの活躍や悲劇を歌った「フィクション」が作られることが多い。すでに名前を出したギリシアの『イリーアス』や『オデュッセイア』、あるいはアイヌ民族の『ユーカラ』などを思い起こせば、そうしたイメージが彷彿としてくるはずだ。フランスの場合も似たようなことがいえる。中世フランス語が生まれてまもなく、「武勲詩 chanson de geste」と呼ばれるジャンルが出現しているのだ。この叙事詩の形式が成立したのは十一世紀後半あたりで、約八十編が残されているのだが、形式的にも完成度の高い『ロランの歌』という傑作が、いち早く出現したことには驚くしかない。その背後には、強烈な民族的エネルギーの胎動があったのだろうか。あるいはむしろ、同時代の閉塞が過去の理想化をもたらしたのだろうか。ともあれ、スペインの『わがシッドの歌』（作品の成立は十二世紀ないし十三世紀か。唯一の写本は十四世紀のもの）、ドイツの『ニーベルンゲンの歌』（十三世紀初頭に成立。写本は十三世紀前半のC写本など多数残る）と、この種の武勇の叙事詩の傑作が、奇しくも同じ頃に各国語で創作されている。

三　オラリティ（口誦性）、パフォーマンス

図1-1　「ジョングルール」、13世紀の写本より

ところで、「武勲詩」のgesteとは、「武勲」すなわち「戦場での手柄」の意味だが、ほかにも「（英雄などの）物語、歴史」とか、「（英雄の）一族、一門」といった意味合いも有している。実際、「武勲詩」のテーマは必ずしも戦いに限定されているわけではなかった。それはさておき、ここで注目すべきは「歌謡chanson」の方であろう。ラテン語からの独立をはたして、「世俗語」として自立していこうとするフランス語。とはいえ、読み書きできる者は少数にすぎなかった。「ジョングルール」と呼ばれる旅回りの芸人（図1-1）が、たいていは読み書きのできない聴衆を前にして、ヴィエル

という弦楽器で伴奏をつけて歌うこと――「謡う」と書くのが適当かもしれない――、つまり「パフォーマンス」が「武勲詩」というジャンルの真の姿で、作品の真価はそうした実演によって発揮された。定期市で賑わう町の広場や教会の前で、ときには城のなかで騎士たちを前にしてと、さまざまな機会に朗唱されたことが判明している。「武勲詩」が定訳だからこれを用いるけれど、むしろ「武勲の歌」なのである。楽器の伴奏をともなうことを本質とするところの歌唱である。

「ジョングルール」と聞くと、読者は英語のjuggle「曲芸・手品をする」という動詞を連想するかもしれない。そのとおりで、「ジョングルール」のなかには曲芸や手品を得意とする連中もたくさんいて、投げ銭によって日々の暮らしを支えていた。武勲詩を披露する芸人もまた、彼らといっしょに歌謡を披露していたのである。このような世俗文化の担い手たる「ジョングルール」は、中世の支配階級である聖職者たちからは蔑視されていた。洋の東西を問わず、こうした芸人たちは、いわば「河原乞食」として賤視される存在なのだった。

ところで、われわれは何気なく「文学」というけれど、そこには「文」という文字が含まれている。「文字」となったテクストが「文学」だという了解が、暗黙の内に成り立っているかに見える。英語のliteratureでも、語源は「文字letter」だから、同じ理屈が成立する。しかしながら、「武勲詩」の個所で述べたように、「文字」ではなくて「声」によるパフォーマンスに真骨頂があった「文学」というものが、かつては世界中に確実に存在したことを強調しておきたい。

現在でも、わが国では、落語とか浪曲・講談といった話芸が生きている。そして、志ん生、志ん朝、円生、米朝といった歴代の落語の巨匠の場合、その噺がテクスト化されて書物として売られてはいるものの、後世の人間がそれを読んだとて、志ん生や志ん朝のすばらしい高座を追体験することはまず不可能であろう。もっとも、現在のテクノロジーは、DVDなどによるライブの記録の保存を可能にしているから、そうしたメディアによって、彼らの高座の現場を疑似体験することはできる。だが、中世の芸能の場合はどうだろうか？　「武勲詩」の実演の現場は、稀に残る図像を例外として、後世には伝わらないのである。したがって、われわれは、文字化されたテクストという「抜け殻」あるいは「影」のようなものを主たる手がかりとして、「パフォーマンス」の現場を想像するしかない。それにしても、ヨーロッパでは「武勲詩」に限らず、「語り物」はほぼ絶滅したという。これに対してわが国では、細々とではあるものの、「平家琵琶」など「語り物」が伝承されているのだ。この機会に、文学や芸能におけるオラリティ(口誦性・口承性)の価値を再認識したい。

四　『ロランの歌』——その伝承について

では、「武勲詩」の最高傑作とされる『ロランの歌』を具体的に鑑賞してみよう。この作品も、実は「テュロルデュス」という人名と結びついているのだが、このことについては最後にふれるとする。

この作品の起源となるのは、シャルルマーニュによるスペイン遠征時の出来事である。サラセン人の抵抗に手こずった大帝は、東方のサクソン人侵入の報を聞くと、包囲網を解いてフランスに引き揚げることになるのだが、その際、辺境伯フルオドランドゥス(ロラン)率いる後衛がピレネー山中でバスク人の奇襲を受けて全滅したという。これはアインハルトの『カール大帝伝』(ラテン語、八三〇年頃)にも記されている、西暦七七八年の史実だ。ところが、ヨーロッパ史からするとむしろローカルなこの一挿話が、およそ三百年も経ってから大変身をとげて、文学の傑作として出現したのである。それは十字軍によるキリスト教の戦意高揚の時代であった。バスク人との小競り合いというエピソードが、なんとイスラム教徒との一大聖戦へと変貌している。歴代の教皇は、異教徒との戦いで死んだ者には天国を約束していたが、『ロランの歌』でも、豪傑テュルパン大司教が、「罪障は消す、死んでも殉教者として天国は必定」と説教して、兵士たちを叱咤激励する。

『ロランの歌』は七つの「写本」と、外国語による二つの翻案（ドイツ語『ローラントの歌』、古ノルド語『カルラマグヌスのサガ』）という、全部で九つのコーパスによって伝承されている（これ以外にも、小さな断片がかなり残るらしい）。外国語にも翻案されたという事実からも、作品の価値と人気を推し量ることができよう。

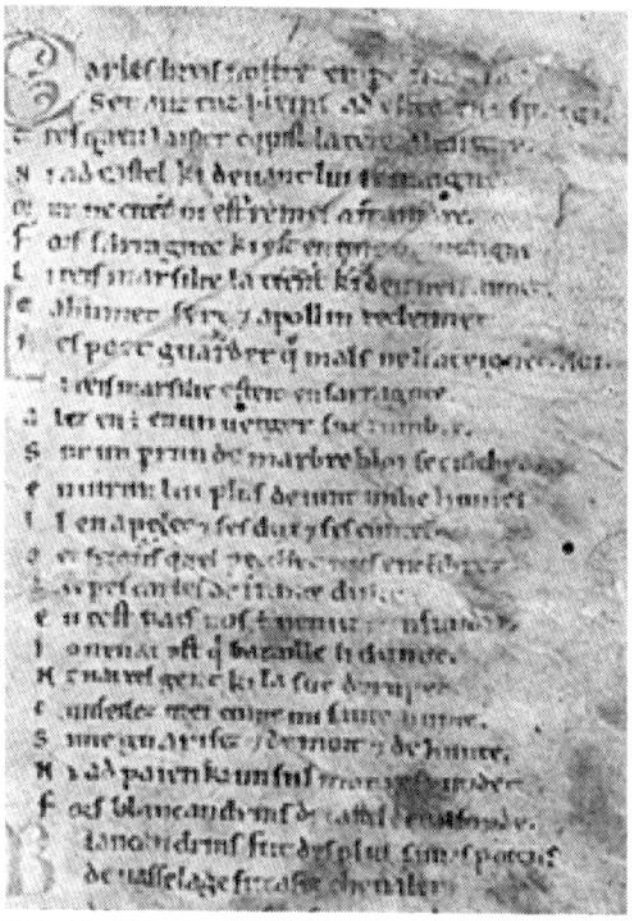

図1-2 『ロランの歌』オックスフォード写本、冒頭。9行目の終わりにAOIとある。

なお、『ロランの歌』の成立に関しては、長い時間をかけて多くの人々の関与によって作られたという通称「伝承説」と、個性的な才能を有する一詩人による創作を主張する「個人説」とが存在するが、問題の解決には至っていない。『イリアス』と『オデュッセイア』の成立をめぐる「ホメロス問題」にも似た論争の歴史があるのだ。この種の議論が、『平家物語』においても存在することに注意しよう。琵琶法師が伝承してきた「語り本」と、「読み本」との先行性をめぐって展開されてきた論争がそれである。こうした問題は、口誦文学とは切り離せないのである。

さて、九つのコーパスのうち、オックスフォード大学所蔵本（「O写本」と略される。なお、「オックスフォード」は写本の所蔵地であって、制作地ではない）が最古にして最良のテクスト（書誌学では「善本《ぜんぽん》」と呼ぶ）とされて、「底本」となっている。

五　『ロランの歌』を声に出して読む

では、冒頭を読んでみよう（図1-2）。邦訳は複数存在するけれど、神沢栄三訳（『フランス中世文学集1』白水社、一九九〇年、所収）を採用する。朗唱を意識して、日本の軍記物も参考にした翻訳であるから、武勲詩の口誦性（オラリティ）を味わうのにふさわしい。ぜひとも、声に出して読んでほしい。

一

われらが大帝シャルル王は、
まる七年《とせ》が間イスパニアの地にとどまり、
傲《たかぶ》れるこの国を海際《みぎわ》までことごとく攻め取ったり。
大帝の征く処、踏み止まる城とてなく、
城壁も城市もことごとく撃ち破られ、
残るは峻険《しゅんけん》に拠るサラゴッサのみ。
神を崇《あが》めぬ王マルシルこれを領し、
マホメットに仕え、アポリン〔ギリシア神話のアポロンではない〕を拝《おろが》む。
されば己が身に死の訪《おと》なうを防ぐ術《すべ》もなし。AOI。

あらすじを記しておく。シャルルマーニュ（カール大帝）（七四二―八一四）の治世の話である。大帝はイベリア半島でのサラセン軍（イスラム教徒）と戦ってきた。引用には七年間を要したとあるが、「七」という象徴的な数字は叙事詩的な誇張表現であろう。最後まで屈服しなかったサラゴッサのマルシル王（仮空の王である）が、キリスト教への改宗を条件に和議を請うてくる。評定の結果、シャルルマーニュも和議を受け入れる。主戦派のロラン（シャルルマーニュの甥）が、和平派の義父ガヌロンを使者に推挙するが、ガヌロンはロランの意図を邪推、マルシルと謀《はか》ってロランの死を画策し、彼を後衛軍の指揮官に指名する。ガヌロンとマルシルの共謀により、シャルルマーニュの軍勢がフランスに帰還していくとマルシルの大軍は後衛軍に奇襲をかける。ロランと盟友オリヴィエを始めとするキリスト教徒軍は最後まで奮戦して敵を敗走させるものの、結局は全員が玉砕する運命となる。しかしながら、死の直前にロランがようやくにして吹いた角笛によってシャルルマーニュの本隊が引き返し、マルシル王を始めサラセン軍を殲滅する。奸臣ガヌロンは、代理人による「決闘裁判」に敗れ、親族ともども処刑される。妃のブラミモンドだけが許されて、キリスト教徒としての洗礼を授かる。その夜、大天使ガブリエルが現れて、異教徒との次の戦いに向かうべきことを命じると、シャルルマーニュは「神よ、わが生涯のさても労苦の多きことよ」と、思わず涙を流すのであった。

全体は約四千行で、各行が十音節の「韻文」作品である。二百九十一の「詩節」に分けられていて、各「詩節」の長さは最短が五行、最長が三十五行と不揃いではあるものの、「詩節」内は行末が同じ母音で終わることで、一つの単位を形成している。内容的にも一つの場面と対応しているから、暗唱しやすいといえる。なお、細かな話になるが、十音節の一行は、前半の四音節で、声の切れ目になるように作られているから、「四＋六」というのが、ある種のリズムを構成していた。

このような韻文を、「ジョングルール」たちはヴィエルと呼ばれる弦楽器（正確には擦弦楽器）を演奏しながら歌ったのだが、通しで上演すると五時間以上を要したというから、通常は文楽や歌舞伎のさわりのように、ピックアップしてプレイしたにちがいない。

とはいえ、平家琵琶の場合とは異なり、ヴィエルがいかなる伴奏をかなで、いかなる抑揚で朗誦がおこなわれたのかは不明らしい。ところで、引用の最後にあるＡＯＩ（図1-2を参照）とはなんだろうか？　オックスフォード写本は全部で二百九十一の詩節で構成されているけれど、そのうち百七十二の詩節の、それもほとんどが詩節の末尾に、このＡＯＩという不思議な記号が付されている。楽譜に付された記号ののようなもので、演じる際のなんらかの指示であろうが、繰り返し記号なのか、楽譜でいうクレッシェンドのような記号なのか、はたまた合いの手などを入れるマークなのか、いまだに謎である。いずれにせよ、ＡＯＩもまた、武勲詩のオラリティ（口誦性）の痕跡であるにちがいない。

六　ロラン角笛を吹く――山場とリピート

物語の山場で同一のアクションが、視点を変えて、あるいは表現を変えてリピートされるのも、こうした「語り物」の特徴といってもよさそうだ。たとえば、「賢い」オリヴィエが援軍を頼もうとして、「わが友ロランよ、いざその角笛を吹きたまえ」、シャルル王がこれを聞けば兵を戻すからと勧めたにもかかわらず、「勇ましい」ロランがこれを拒むという、もっとも有名なシーンがある。これは、合計三回リピートされるのだが、こうした繰り返しによる強調によって、むしろドラマチックな効果が生まれる。ここでは、断末魔のロランが、ようやくにして角笛を吹き鳴らすシーン（図1-3）を読んでみよう。

一三三

ロラン、角笛を口に当て、

しっかと支えて力の限り吹き鳴らす。
山屹然《きつぜん》として、角笛は遥か彼方に鳴り渡り、
三十里の遠くにありて、フランス勢その木霊《こだま》するを聞けり。
シャルル王その音を聞き給う、その将兵もことごとく。
王の仰せ給うには、「われらが軍勢合戦に及ぶなり」
王をさえぎりガヌロンの申すには、
「別人が言い出《い》ださば、真赤な嘘にも似たるお言葉」ＡＯＩ。

一三四
伯ロラン、渾身《こんしん》の力をこめて、
苦しき息を振りしぼりて角笛を吹けば、
鮮血、口よりほとばしり、
顳顬《こめかみ》もよって遂には破れけり。
手にする角笛の響はいと高く、
山峡《やまかい》を今し越えさせ給うシャルルの御耳に達したり。（中略）

王の曰《いわ》く、「わが耳にするロランの角笛の響。
合戦の際《きわ》にてもあらざれば、いかで吹くことのあるべきや」
ガヌロン応《こた》えて、「合戦とは滅相な！
陛下にはお年を召され、白髪は花と咲く。（中略）
いざ駒を進め給え、何ゆえにかくはなお留まり給うや。
父祖の地もいまだ遥かの彼方なり」

一三五

鮮血ロラン伯の口を染めしが、
顳顬《こめかみ》よって破れたればなり。
ロラン肺腑《はいふ》をしぼり、力をこめて角笛を吹けば、
シャルルこれを聞き給い、フランス勢また耳を傾く。
王曰《いわ》く、「かの角笛が響の長きことよ」
ネーム公［王の指南役］応《こた》えて申す、「勇猛の士が力を尽くしての事ならん。
合戦に及びたり、と心得まする。

あの音をお聞き流しあれと申す輩《やから》は裏切り者、
いざ甲冑に身をかため、鬨《とき》の声をば作らせ給え。
陛下の気高き一門をお救いあれ。
お聞き及びの通り、あれはまさしくロランの悲痛の叫び」

少しずつ調子を変えながらモチーフが繰り返されて、音楽でいえばクレッシェンドのような感じで、クライマックスに向かって盛り上がっていくのがわかる。旅芸人たちは、ときには悲壮な調子で、またときには、ややおもしろおかしく語ってメリハリをきかせることによって、聴衆を魅了したにちがいない。このシーンでは、角笛を吹く仕草をしながら、さぞかし悲愴感を込めて謡ったのであろう。リピートというか、一つのモチーフを変奏することで、ある種悲壮な時間を演出しているように感じられる。おそらく聴衆の多くは、ロランという「キャラクター」をすでによく知っていたにちがいない。そして、この封建社会のヒーローのふるまいや運命を再確認しては、ときには涙しながら、語りに耳を傾けて、そうだそうだと喝采を送ったのであろう。

ともあれ、「ジョングルール」と呼ばれた旅芸人たちは、何千行にも及ぶ作品を――

図1–3　角笛を吹くロラン（右）、名刀デュランダルを折ろうとする瀕死のロラン（左）。シャルトル大聖堂のステンドグラスより

それも、おそらくは複数の作品を――しっかりと記憶していて、聴衆の反応を見ながら即興で演目を選んで謡ったに相違ない。そこには書かれたテクストが存在するわけではなく、作品は芸人の頭のなかにしっかりとストックされていた。こうして貯めこまれた「メモリー」こそが、彼らの生活の糧なのである。言い換えるならば、「武勲詩」とはむしろ、文字化を忌避したジャンルではないのか。「ジョングルール」は記憶したテクストを口伝えに息子たちに教え込んで芸を継承させていく。また、こうした口誦芸能が文字化される場

合も稀にあって、その際には、現代の著作権料ないし複写料金にあたる謝礼の授受を伴ったという記録も残っているらしい。

演者たるジョングルールが蔑視されていたことはすでに述べたが、遺憾なことに、知識人たちは、このような芸能を好む民衆をも見下していた。十三世紀末の『世界の鏡』という著作では、「ミサを短いと感じない人、（中略）ロランとオリヴィエの話に喜んで聞き入る人、双六やさいころ遊びに興じる人、道化や猿回しや手品師など罪に汚れた芸を見に行く人は、みな愚か者である」として、聴衆たちが蔑視されている。

七　『ロランの歌』最終行の謎 ―― 固有名とそのステータス

では、パフォーマンスを本質とするこうした文芸がテクストとして固定されて、そこに作者とおぼしき人物の名前が記されていたら、どう解釈すればいいのだろうか？『ロランの歌』は、まさにこの問題を提起してくれる。O写本の最終行には、“Ci falt la geste que Turoldus declinet.” ―― 仮の訳を付けるならば「テュロルデュスの歌、ここに終わる」となろうか ―― と記されており、固有名とそのステータスという問題を投げかけずにはおかない。

テュロルデュスの身分はdeclinerの解釈と連動するわけだが、この動詞が多義的で、「終える」「作る」「写す」「朗唱する」「疲れる」など、さまざまな意味が考えられるという。「作る」なら「作者」、「写す」なら「写字生」、「朗唱する」なら「ジョングルール」つまり芸人とテュロルデュスのステータスが異なってくるし、このテクストの性格も違ってくる。いずれにしても、この固有名を「作者」と限定できないことは明らかなのである。

また、これは考えすぎかもしれず、半ば冗談だが、declinerを「疲れる」とするならば、「テュロルデュスは疲れたので、この歌はここで終わります」と解せなくもない。事実、写本には、日が暮れたからとか、手が疲れたから擱筆しますという終わり方も目立つのだから。

あるいはまた、faltという動詞（faillirの三人称単数形）を「終わる」ではなく「欠ける」と解釈するならば、「テュロルデュスによる歌は、ここで欠けてしまっています」、本当はもっと続くのですが、ここで一応終わらせていただきますという意味合いも浮上する。

事実、この武勲詩の最後では、大天使ガブリエルが出現して、シャルルマーニュに、異教徒に囲まれたヴィヴィアン王の救出に向かえと、次の戦いを命じるのである。

要するに、中世文学における「作者」というのは、きわめて曖昧な身分にすぎないのである。したがって、作品に人物名というレッテルが貼られていたとしても、それは近代的な意味での「作者」とは異なるものなのだ。たとえば、トリスタンとイズーの悲恋は、ヨーロッパ中に流布した「物語《ロマン》」というジャンルで、フランス、ドイツを始めとして各国で作品が成立している。「武勲詩」が「歌われること」を本質としていたのに対して、「物語」の場合は「読まれる」ことを本質としていた。もっとも、この時代だと、「黙読」は例外的であったから、パフォーマンスとしては、声に出して読み聞かせることと対応するジャンルである。

フランスには『ベルールのトリスタン』と呼ばれる物語があり、唯一の写本が残っている。物語の前も、そして後も欠けた、不完全な写本である。この写本には、「ベルールはこの物語を、しっかりと記憶しているのだが」、「ベルールが、書いてあるのを見た個所で、物語が述べているように」と、二個所にわたって「ベルール」という固有名が登場する。「記憶している」とあるからには、ベルールは「ジョングルール」のような芸人なのだろうか？　いや、それだけではなく、本でも読んでいるらしいから、この物語の作者ではないのか？　われわれには明確な結論を出すことはできない。しかも、語彙・文体、内容の矛盾等々から推して、前半と後半では作者が異なるという説まで存在する。ますます、ベルールのステータスは曖昧模糊としてくるではないか。そればかりか、中世文学では、わざと実在あるいは架空の人名を作中に挿入することで作品の信憑性を高めるという狡猾なテクニックも使われていたから、真相はますます藪の中というしかない。したがって、われわれは、「ベルール」の「トリスタン」という曖昧な表示を採用するしかないし、それがもっとも賢明な方法なのだ。まちがっても「ベルール作『トリスタン』」などと記してはいけない。

◉第二章

中世の読書とその変容

第一章で述べたように、「世俗語」（ラテン語文化圏の場合は、これを「ロマンス語」と総称する）が「書きことば」としての身分を獲得してまもなく、フランス語圏では『ロランの歌』という叙事詩の傑作が成立して、文字テクストとして残された。けれども、叙事詩は「謡う」あるいは「語る」といった演芸の現場で本領を発揮していたはずであって、後世に残された文字テクストは、パフォーマンスの痕跡を伝えるにすぎなかった。

とはいえ「文学」は、徐々に音声やパフォーマンスの現場を離れて、やがては「文学」として独り立ちしていく。本章においては、そうした問題とも関連する「読書」というふるまいと、その変容について考えてみたい。

一　中世の読書——聖なる読書

中世のキリスト教社会において、読書とはなによりもまず、聖なるいとなみ、聖なるつとめにほかならなかった。ベネディクト会やシトー会など、人里離れた修道院でひたすら祈りと労働に身を捧げる、いわゆる「観想修道会」では、書物を読むとは神の知へと至る聖なる勤行《ごんぎょう》なのであった。聖なるテクストは小声で音読されて、口から耳を通じて、読む者の心に刻まれていく。読む者は、聖なることばという果実を、文字通り「味読」したのだ。シトー会の聖ベルナルドゥス（一〇九〇―一一五三）が、読むことについて「食物を反芻する牛になりきるのです」と勧めていることを思いおこそう。聖なるメッセージをかみ砕き、ゆっくりと反芻して、黙想し、英知を確実に消化・吸収することが求められていたのだ。

こうして、「読むこと」「瞑想すること」「観想すること」という三つの段階が、全体として「聖なる読書」を形成していた。これに、その合間での「祈ること」の時間を加えるならば、合計四段階ということになろう。南フランスはグルノーブル郊外の、冬は深い雪に閉じこめられる山中にあったラ・グランド・シャルトルーズ会（カルトジオ会）の第九代修道院長グイゴ二世は、このような階梯について、次のように教えている。

精神の四つの階梯とは、読書、瞑想、祈り、観想である。こうした階梯をたどることで、修道僧は地上から天へと上昇していく。段数はたしかに多くはないものの、この階梯は膨大なものにして、信じられないほどの高さがある。（中略）読書は、しあわせな生き方の甘美さを探しもとめ、瞑想がそれを見いだし、祈りがそれを渇望し、観想がそれを味わう。読書は、口に栄養ある食べ物をもたらし、瞑想がそれを噛みしめて、すりつぶし、祈りが味わいを獲得し、そして観想は、人をよろこばせ、活気づける甘味そのものといえよう。

（グイゴ二世『修道士の階梯について』十二世紀末）

グイゴ二世は当然ながら、読書の身体性を強調して、「たましいの糧」を「ブドウの実」に喩えると、これを「噛んで、すりつぶし、搾る」ことを勧めている。つまり、読むことは口の運動と不可分なものなのだった。この時代には回復期の病人に対して読書が運動として推奨されていたという事実も、読むことの身体性を如実に物語っている。

そしてもうひとつ、ラテン語の「読む lego」という動詞が「耳を澄ます」の意味でも使われていたことは実に示唆的ではないだろうか?「読む」とは一語一語を噛みしめるように発音して、その声を耳を澄まして聴きながら、テクストを摂取していくことにほかならなかった。「黙って読むこと」は、きわめて稀なふるまいにとどまっていた。「文字」は「音」の表象にすぎず、思考を表象するのは、あくまでも「音」だという考え方は、その後も根強く残る。

「聖なる読書」においては、効率やスピードは問題とはならない。早く読んで、情報をインプットするという性質のものではないのだ。むしろ、注意深く、一歩一歩、ときにはつまづきながら読んでいくことこそが、肝心なのであった。幾度となく反芻され、味読されるテクスト――読書の糧が、けっしてファストフードではなく、スローフードであったことを、「ファスト教養」などが喧伝される現代こそ、心に深く留めておきたい。

それだけではない。そもそも、アルファベットの単語の分かち書きとか句読点も一般化していなかったのだから、実際問題として、速読などは不可能であった。むしろ、単語のつらなりをゆっくりと解きほぐしていく試練までも、読むいとなみのうちに含まれていた気がする。二十一世紀の超高速と大容量の時代に生きるわれわれは、こうしたことを忘れかけている。もう一度、その昔のスローな読書に思いを馳せ、それに身を委ねてみよう。

二　読むこと、写すこと

ところで、ラ・グランド・シャルトルーズ会（カルトジオ会）だが、ここで暮らす隠修士たちが守るべき規則は、先ほど出たシトー会の聖ベルナルドゥスの友人でもある第五代修道院長のグイゴ一世（一〇八三－一一三六）によって成文化されていた。全八十章からなるこの『慣習律』は、中世の修道生活に関するもっとも優れたルールとして知られる。古代エジプトの砂漠での苦行で有名な聖アントニオス（二五〇？－三五五？）の厳しい修道生活などに範をとり、シャルトルーズ修道院は「荒れ野」とも呼ばれていた。修道士は、「修室」という狭い個室にこもり、聖ベネディクトゥス（四八〇－五四七？）の『戒律』で定められた「聖なる読書」と聖務日課に従って、沈黙と孤独の内に神と向かい合うところの敬虔な祈りの日々を送っていた（こうした共住修道院では、沈黙を守るべく「手話」を重視していたところも多いという）。

『慣習律』の第二十八章は「修室内の物」と題されて、全六項目からなり、その（1）では粗末な衣服や針と糸などについて、（5）では鍋、食器、薪、手斧などについて、具体的に記されている。残りの四項目が読むことと写本の作成にかかわるから、引用しておく。

（2）筆写するためのものとしては、筆箱と何本かの鵞《が》ペンと白墨、二つの軽石、二つのインク壺、一本の小刀、羊皮紙の表面を平らに削るための剃刀二本、一本の錐と穴開け用大錐、錘鉛、定規、罫を引くための小板、数枚の鑞引き板と鉄筆。われわれは受け入れたほとんどすべての者に、できるかぎり筆写することを教えている。われ稀なことではあるが、もし修道士が他の技芸をもっていたなら、その技芸に適した諸道具をもたせるであろう。

（3）さらにまた、読むために二冊の書物を書庫係から受け取る。これらの書物は、煙とか埃《ほこり》、あるいは他の穢れで汚さないよう、細心の注意をもって非常に大切に扱うよう定める。書物をわれわれの魂の永遠の食物として最大の注意と熱意をもって保存し、作成することを望む。それは、われわれは神の言葉を宣べ伝えるのを口ではできないので手によって行うためである。

（4）われわれは書物を筆写するたびに、真理を告げる者になると考える。書物によって誤りを正され、カトリックの真理において高められ、罪と過失を悔い、天国への望みに燃えるであろうすべての人々が、主から報いがあるようにわれわれは願っている。

（6）われわれ一人ひとりが前述のものを受け取っているのは、修室から出るという違反行為を犯して咎めを受けないためである。集会が開かれるときか、聖堂に集まるときのほかは、修室から出ることはけっして許されていないからである。

（グイゴ一世「シャルトルーズ修道院慣習律」高橋正行・杉崎泰一郎訳、『中世思想原典集成10　修道院神学』平凡社、一九九七年、所収）

彼らの一日のかなりの時間が、聖なるテクストの繙読とならんで筆写に捧げられていたのである。羊皮紙を受け取ると、まずは軽石やナイフでこすってなめらかにするのだけれど、こすりすぎると今度はインクを吸わなくなるから、気をつけないといけない。「書物を筆写するたびに、真理を告げる者になる」という記述からも、写本という労働

図2–1　写字にいそしむ修道士、15世紀フランドルの写本より

がいかに神聖な修行と考えられていたかがわかる。孤独と沈黙が掟ではあるが、写本の際には、おそらく小さな声で発音して、あるいは少なくとも無言のままに口を動かして、目の前のテクストを確認していたにちがいない（図2-1）。

『慣習律』(6)の記述から推して、どうやらシャルトルーズ修道院では個室での筆写が中心であったようだが、大きな写本工房を擁して、修道士たちの献身によって大量の写本生産がおこなわれていたところも存在した。そこでは、ある者は罫線を、ある者は飾り文字をと役割を分担して、流れ作業で筆写がなされていた。やがては、写本が修道院の主たる収入源となっていったというから、そうなると本末転倒とはいわずとも、写本行為が修行という形を借りた労働に近くなる。

ところで、筆写には、さまざまな略号が用いられたが、それらは速記と原理的には同じで、写字生には省エネになっても、（省略の約束ごとを知らない）読者を想定したものとはいえない。修行としての筆写の時代に、略号という省エネがどれほど許されていたのかは、残念ながら不明だ。いずれにせよ、写字生は、必ずしも（広範な）読み手のことを考慮して筆写していたわけではなかった。写字・写本が修行として囲い込まれており、多様な略号を解するところの限定された共同体向けに写本が生産されていたことの反映なのであろう。

そういえば仏教でも、「写経」はもっぱら祖先の追善や罪障消滅といった功徳《くどく》を目的としていて、無心に写すことが重要なのであって、写した文字が明快かいなかは必ずしも本質的なことではなかろう。要するに、聖なることばを書き写すことが自己目的化していた場合があるということである。

三　読み書きの新時代

人里離れたシャルトルーズ修道院で、隠修士たちが聖なるテクストを書き写していた頃、都市を中心として、読み書きの新たな時代が明けようとしていた。ヨーロッパ各地に、大学という知識教授のシステムが出現するのである。

一般的に「十二世紀ルネサンス」とも呼ばれるが、農業生産力の向上を背景として、西欧の経済活動は発展し、社会的な活力も上昇していった。都市の発展は文化の担い手を聖職者層から市民や商人へと緩やかに交替させ、経済活動の伸展が、「為替」や「簿記」といった「書かれたもの」のシステムを創出していく。

そしてボローニャ、パリ、オックスフォードなどの都市において、いわば自然発生的に誕生したのが、「大学」という新たな知のシステムであり、そこで展開された学問が、「スコラ学」（「スコラ哲学」）にほかならない（そもそもは、大聖堂付属などの「学院《スコラ》」を起源とする）。

スコラ学の担い手は人里離れた「観想修道会」ではない。都市における托鉢と説教活動を基本とする、ドミニコ会・フランチェスコ会といった新興の「托鉢修道会」であって、彼らは神学研究志向を強めて、大学にも人材を送り込む。たとえばパリ大学神学部（ソルボンヌ）には、修道会専用の教授ポストまで用意されていたのだ。こうしてスコラ学が、神学部や教養学部の教科に浸透していく。

こうして大学の時代が訪れると、沈黙と孤独による「聖なる読書」は特別なものとされて、辺鄙な修道院のなかに完全に囲い込まれていく。そして、学びは、「英知」を獲得するというよりも、むしろ「知識」を獲得すること、その知識を使って、問題の解決をしたり、相手を論破することという、実践的な手段となっていった。大学の時代の「読書」は、聖なる存在とのふれあいや対話では、もはや時代の要請に応えられないものとなっていたのだ。スコラ学における読書は、たしかに古典の講読から始まるものの、やがて「討論」へと移っていく。つまり、読書によって問題の核心を引き出して、「区別」や「証明」といった知のテクニックを駆使して問題の「是非」を問うところの、いってみるならば知的なバトルへと変身していくのだった。これはその後、ルネサンスのユマニストや福音主義者によって、真理の探究を阻害するものだとして批判される。たとえば、真実や自己認識をなおざりにした力まかせの論争は、十六世紀の物語作家ラブレーの手で、巨人王子パンタグリュエル

図2−2　中世の大学での講読授業、13世紀半ばの写本より

の知の武者修行に託して、アイロニカルに描き出されることとなろう（『パンタグリュエル』）。ここで、修道院神学からスコラ学への交代劇を、見事に要約したジャクリーヌ・アメスの言葉を引いておく。

スコラ学の時代を迎えると、それまでの修道院文化における、読書・瞑想・観想という三つのステージに代わって、テクストに接する別の三つの方法が登場する。解釈と注解としての「読むこと」、討論の技術としての「論じること」、そして精神的な次元としての「説教すること」であった。だが、討論の重要性が増していって、残るふたつの実践の独自性を奪ってしまったことが判明する。（中略）論証の技術が自己目的化して培われて、テクストの内容は二の次となっていくのだ。

（J・アメス「スコラ学時代の読書形式」、R・シャルチエ、G・カヴァッロ編『読むことの歴史』一九九七年）

書物のステータスも変化をまぬがれない。それまでは（聖なる）声の表象であった書物は、論拠ある思考を保持する空間に変じる。書物が、声・ロゴスの宿る場所から、知の倉庫に変貌したといえようか。このことは、「声」から「文字」への、あるいは「記憶」から「記録」への重心移動と言い換えることもできよう。こうして、書かれたものの重要性が増したおかげで、「話しことば（世俗語）」も「エクリチュール（書くこと）」という身分を完全に獲得するにいたる。哲学者イヴァン・イリイチは、これを「民衆の知のアルファベット化」と呼んで、読み書き能力による差別や支配の構造を指摘している。書きことばへの昇進が、このような逆説を孕んでいることは覚えておきたい。

四　音読と黙読、記憶と記録

かくして瞑想は利便性に道を譲り渡し、読書のスピードや効率化が求められるようになる。こうして浮上してくるのが、「視覚としての読書」すなわち「黙読」というテクニックである。ここでは「音読」と「黙読」について、ごく簡単にふれておきたい。

プラトンが『パイドロス』（二七五C）で、「書かれたことば」は、対話などのような「生命をもち、魂をもったことば」の「影」にすぎないと述べていることは有名であろう。「声」を媒介にして話されたことばこそが、真なるものの表象なのだという観念は、中世までずっと支配的であった。音楽の比喩を用いるならば、「書かれたもの」はただの楽譜にすぎず、これに音を吹き込まないかぎり、生きた音楽にはならないという風に考えられていたのである。

したがって、その昔は、本を読むといえば、声に出して読むことであって、黙読はきわめて例外的なふるまいで、むしろ特殊技能に近かった。「聖アンブロシウスが読書していたとき、その目はページを追い、心は意味を探っていましたが、声と舌は休んでいました」と述べて、聖アウグスティヌスは、ミラノ司教である師のふるまいに驚いている（『告白』第六巻三章、山田晶訳『世界の名著16 アウグスティヌス』、中央公論社、一九七八年所収）。あるいはまた、古代ローマにおいては朗読会が、現在における著作の出版に相当していたことを想起してもいいかもしれない。文学の受容とは、まずもって音を介しての行為なのであった。

ところが、読書の新時代を迎えると、かつては特殊な方法であった「黙読」が、斜め読み・とばし読みが可能な読みのスタイルとして徐々に浸透していく。武勲詩『ロランの歌』もこうした流れに逆らうことはできず、黙読に適した「散文」形式に書き直された写本が出現することになる。「物語《ロマン》」というジャンルも同様で、たとえば第一章でふれた「トリスタンとイズー」の物語は、『ベルールのトリスタン』を始めとしていずれも韻文で書かれていたが、やがては散文によって加筆・伝承されていく。そして中世末を迎えると、既存の騎士道物語などが、一斉に散文に焼き直されるのだ。あきらかに「黙読」の時代の到来を告げる現象といえよう。

なお、口頭による宣誓証言の重視というかたちで「声の世界」が生きていた法律や裁判の場においても、少しずつ文書主義へとスライドしていくことが興味深い。ヨーロッパで「供述書」という体裁がはっきり現れるのは、十三世紀あたりとされている。同様の変化は、遺言という行為に関しても認められる。死の床での、複数の証人の前での口述による遺贈から、正当な書式に従ってしたためて封印されたテクスト、すなわち「遺言状」への移行が観察されるのだ。いずれも緩やかな変化とはいえ、「記憶」から「記録」への転換が確実に起こりつつあった。

五　参照すること、活字のアウラ

大学の時代を迎えると、分かち書きや句読点といった、黙読・速読を助ける「消費者指向」の筆法もまた、優勢となったにちがいない。また、段落、索引、小見出しをテクストにそえるといった参照技術も次第に発達していく。要するに、テクストは視覚的な秩序にのっとって「分節」されていくのである。選集や編集本（コンピレーション）といった、原典ではない二次的な著作物もふえていく。むろん修道院神学の時代にも、聖書やその注解などの抜粋も編まれたわけだが、それはあくまでも「聖なる読書」のためのテクストであって、スコラ学のような、討論や論証を目的とした抜粋ではなかったことを付け加えておく。

また知識のインプットを助けるべく、本文の周辺は注解という鬱蒼たる森でおおわれて、オリジナルが遠ざかっていく。これは皮肉な現象というしかないけれど、ダイジェストや解説本、そして啓発本ばかりがもてはやされる、われわれの時代の文化に対しても、重要な問題を突きつけているように思う。イリイチは、このような「祈り」から「学び」への読書の変化を、「旅」というものがゆっくりとした巡礼の旅から、駆け足の観光ツアーになっていった様子になぞらえていた（イヴァン・イリイチ『テクストのぶどう畑で』、法政大学出版局、一九九五年）。われわれ現代人にとっては、なんとも頭の痛い指摘ではないだろうか。

ただし念を押しておかなくてはいけないのは、句読点・段落・改行・目次・索引といった視覚的な読書装置・参照装置の改善には、ずいぶんと長い時間を要したことだ。たとえば、フランスで最初に哲学書にパラグラフを導入したのは十七世紀のデカルト『方法序説』（一六三七年）だともいわれている。

知のメモリーの必要性により、大学や学寮には大きな読書室が生まれて、鎖につながれた大判の書物が並ぶ（図2-3）。ウンベルト・エーコのベストセラー『薔薇の名前』が、北イタリアのドミニコ会修道院の図書室を主たる舞台とした知的ミステリーであったことを思いだしてもいい。またパリでも、サン＝ヴィクトール修道院の図書館が、パリ大学付属にも等しい存在として拡大発展していき、充実した蔵書目録を備えるようになる。

従来は、写本生産に占める修道院の「写本工房（スクリプトリウム）」の比率はかなり高かったにちがいない。ところが、学習の世紀、大学の世紀を迎えると、そうはいかなくなる。都市の、それも世俗的な界隈に本拠地をかまえて、広場での説教や慈善活動によって民衆を信仰へと導いていくというスタイルの「托鉢修道会」は、いわば都市型の新しい修道会であって、そこでは勉強時間がもったいないからといって、むしろ写字は

図2–3　鎖がついた書物を読む聖職者、15世紀の写本より

禁じられていたともいうのだ。そして大学の周辺には、テクストの貸出や筆写を商売とする「原本貸出商」が生まれる。マニュアル本や種本といった、ダイジェスト版の出現も、こうした動きと明らかに連動している。そしてやがて、十五世紀半ばを迎えると、テクストは、「写本」という精度の劣るコピーから、「活字本」という正確なコピーへと進化をとげるのである。

写本とは、極端な言い方が許されるとしたら、「うわさ」にも近い存在だ。伝承のプロセスで微妙に変化していくのだから。したがって、人々も、聖典を例外として、「本文」を絶対視することはあまりなかった。だが、活字はちがう。同一の「本文」が前提であることから、印刷されたテクストへの信頼も生まれてくる。モンテーニュがこう述べるとおりだ。

印刷された証言にしか価値を認めず、書物のなかの人間のことしか信用せず、十分に年代を経たものでないと、事実とは認めないといった人々は、どうしようもない。しかもわれわれのばかばかしい言葉だって、印刷すれば箔がつくわけだ。そうした人々にとっては、「話に聞いたことがあります」というよりも、「読んだことがあります」というほうが、よほど重みがあるらしい。でもわたしは、人間の口を、手ほど信じないというわけでもない。人は話すときも、書くときも分別がないことがわかっているのだから。

（モンテーニュ『エセー』第三巻十三章「経験について」）

六　真の消化とは

スコラ学では、編集本（コンピレーション）がしばしば作成され、重宝されていたという。けれども、ラテン語のcompilatioとは、そもそも「略奪する」という意味であったわけで、中世の集成・編纂とは、こういう言い方はしたくはないけれど、知的な簒奪といえなくもない。それは読みながら書いてしまうこと、つまり注釈などを付け足してしまうこととつながってくる。それまでは、読むこと＝瞑想すること、思索することなのであった。だが、これからは読みながら書くこと、つまり注解することがふつうになるのだ。

こうしたことを考えていて、わたしがいつも思い出すのは「消化する」ということばの内実の変化なのである。「消化する」はフランス語ではdigérer、英語ではdigestという。もちろん食物を体内にしかるべく取り入れることをいう。消化するのは、簡単なことではないはずだから、本来はdigérerには「困難などをじっとがまんする」という意味まで存在していた。ところが、読書は、いつのまにか「ダイジェスト」に、つまり消化にいいものだけを、すばやく吸収するという意味合いに変じてしまったらしい。幾度も反芻し、思考する、真の消化としての読書から、簡便なダイジェストとしての消化への移行が起こっている。英知を滋養としてしっかり身につけるには、困難さや難解さを耐えることが必要なのだという戒めを、今こそ拳々服膺《けんけんふくよう》すべきではないだろうか。

◉第三章 中世文学とパトロン

謹呈と俸禄

中世文学の「エコロジー」を語る場合に重要なのが、パトロネージ（パトロン・システム）である。作者は、不特定多数の読者に向けてというよりも、むしろ特定の庇護者に向けて、物質的な見返りや赦免などを期待して作品を執筆し、これを謹呈する事例も目立つのである。ここでは、そうした作品の使用価値について、理解を深めたい。

「写本」の時代には、作品を執筆しても、写本を何冊も作成するというかたちで多数複製して、不特定多数の読者に読んでもらうということは、実際にはきわめて困難なことであった。もちろん、聖書関係のテクストに関しては、第二章でふれたごとく、修道院の写本工房において、修道士が写字生として日々写本作業に従事することによって、多数の複製が生産されたという事実は存在する。しかし、本章で問題にするのは世俗のテ

図3–1　国王シャルル6世の妃イザボーに著書を謹呈するピザン。自著に添えた豪華な挿絵（1413年頃）

クストの場合で、もちろん「印税」も「著作権」もない時代の話である。

では、芸術家たちはどうしていたか。国王に長子誕生といった慶事があれば、これを寿《ことほ》ぐ詩を作り、おそれながらといって謹呈して、ご祝儀をちょうだいしていた。中世の詩歌には、こうした「状況の詩」が多いことを忘れてはならない。また、著書の場合ならば、なるべく豪華な写本に仕立てて——この場合、初期資本の投下が莫大なものとなるが——、謹呈の図像を見返しに付するなど、しっかりと付加価値も付けた上で、王侯貴顕に献上することで高禄を食もうと考えた。たとえば、二十五歳で子供三人を抱えて寡婦の身となり、筆一本で家族を養う生涯を送って、プロの女性作家の先駆けとも称されるクリスティーヌ・ド・ピザン（一三六四頃－一四三〇頃）も、こうした豪華な謹呈本を多く残している（図3–1）。これらは注文生産とも言えよう。こうして謹呈の図像を付することは、豪華写本においてはかなり一般的なこととなっていく。だが、やがて中世末を迎えると作者意識も高まり、それと共に、写本の冒頭を飾る図像は作者が著作している姿へと変化していくことが興味深い。

本章では、こうした特定の使用価値を内包した「状況の詩」のうち、きわだった実例をいくつか紹介してみたい。

一 物乞いの歌

その昔から詩人たちは、おのれの滑稽さや悲惨さを誇張して、いわば戯画化して歌うことによって、現実的・物質的な見返りを実現してきたのだけれど、十三世紀の詩人リュトブフも例外ではなかった。彼はおそらく庶民の生まれで、「旅芸人（ジョングルール）」をなりわいにすることから始めて、次第に自作自演（今でいえばシンガー・ソングライターみたいなもの）になっていった。詩人としては、ポワチエ伯をパトロンとした時期もあったらしいが、当時の詩人の例にもれず、どうやら庇護者を求めて各地を放浪する生涯を送ったらしい。叙情詩から諷刺詩まで、さらには中世の落語ともいえる「ファブリオ」に至るまで、そのレパートリーは広く、注文主の希望に合わせて自在に書きわけたようだ。『テオフィルの奇跡』という芝居や、『薬草売りの口上』という、定期市の広場での香具師《やし》の口上を模した作品までも執筆している。

ここでは、パトロンに援助を求めて書いた、物乞いの歌を紹介する。タイトルは「リュトブフ貧窮歌」で、一二七七年の作品とされる。全四八行のうち半分ほどを引いておく。

どこから始めればよろしいやら
私の貧しさ加減についてなら
こんなに材料がたくさんございます
神かけてお願いします、高貴なるフランスの王よ
どうぞいくばくかのお金を下さいまし
そうすれば大変な慈善の行いとなりましょう
私はひとに借りては生きてまいりました

みんな私を信用して貸してくれたのです
ところがいまは信用などすっかり失くしてしまいました
なぜって私が貧しく借財だらけと知れたからです
それなのに私の頼みの綱の
あなたは国外へ出かけておられました（中略）

私は寒さに咳こみ、空腹であくびが出るばかり
もうおしまいです。死ぬばかりです
私には毛布も寝所《しんじょ》もない
ここからサンリス［パリの北五十キロ、中世に栄えた町］までの間、私ほど貧しい者はありません（中略）

王さま、どうぞおわかり下さい
私にはパンを手に入れるすべもないのです
パリで私はあらゆる品物に囲まれているけれど

私の物は何ひとつないのです（中略）
きびしい時代が私からすべてを奪ったのですから
とにかく私の所はからっぽで
「信心」すらも差し押さえられて
ごらんのとおりの素寒貧《すかんぴん》です。

（天沢退二郎訳、『フランス中世文学集1　信仰と愛と』白水社、一九九〇年、所収）

この詩篇は、フィリップ三世「剛胆王」（在位一二七〇－八五）に宛てられたものとされる。「貧窮歌」といえば、わが国では、「世間《よのなか》を憂しと恥《やさ》しと思へども飛び立ちかねつ鳥にしあらねば」を「反歌」とする、万葉歌人山上憶良の「貧窮問答歌」を思い出す。これは、貧者が貧者に語りかけるという設定により、人民の貧困や役人の苛斂誅求《かれんちゆうきゆう》を歌ったものであった。これに対して、リュトブフの作品は、宮廷に寄食する詩人による物乞いの歌であって、その内容は注解の必要のないほどストレートだ。むろん詩人としては、社会的な眼差しを忘却したわけではなくて、自分の貧困を歌うことで、世情をも反映させているのである。なお、「信心 credo」は「信用 crédit」との掛詞になっている。ただし、リュトブフが、この戯作によっていかなる報奨にあずかったのか、残念ながらわからない。

二　フランソワ・ヴィヨン——恩赦嘆願と猟官

さてさて、リュトブフは前座と言ったら泉下のご本人が怒るかもしれないが、真打ちに登場してもらおう。中世最高の抒情詩人とも、あるいは「泥棒詩人」などともいわれるフランソワ・ヴィヨン（一四三一－？）である。パリ大学神学部でも教えたことのある司祭に引き取られて育ったフランソワ・ヴィヨンは、パリ大学の学士となりながらも、いつのまにか道を踏み外して、悪い仲間と交わるようになる。そして一四五五年には、自分が育ったカルチエ・ラタンのサン＝ブノワ教会の前で、フィリップ・セルモワーズというやくざな司祭とけんかになって、相手を刺

図3–2　ヴィヨン。最初の活字本『ヴィヨン詩集』（1489年）より

し殺してしまう。しかし彼は、恩赦嘆願という手段に訴えた。相手がナイフを手にして攻撃してきて、口のあたりを切られたので、仕方なく、こちらも短刀を抜いたこと、そして瀕死のセルモワーズも、自分の処罰を望まないと述べたことを持ち出して、正当防衛による過失致死を主張、これが認められて

図3–3　シャルル・ドルレアン、15世紀の写本より

恩赦状を手にしたのだ。こうして彼はおそらく、虚実を巧みにブレンドして物語ることができれば、法の裁きも免れられると悟った。そして、こうした能力を、さまざまな状況で発揮していく。

翌一四五六年のクリスマスに、悪い仲間とナヴァール学寮に忍び込んで金を盗んだヴィヨンは、パリを離れざるを得なくなる。そしてフランス各地を彷徨したものと思われるが、そのあいだにも、召し抱えを期待して「詩会」にチャレンジしている。そうし

た実例を紹介する。

シャルル・ドルレアン（一三九四−一四六五）という王侯詩人がいる（図3−3）。フランス国王シャルル六世の弟ルイ・ドルレアンを父に、ミラノ公女ヴァレンティーナ・ヴィスコンティを母に持つという王族であったが、百年戦争でイギリスで二十五年間もの幽閉生活を経験している。帰国後はブロワの城で詩文に溺れる日々を送り、多くの詩人たちのパトロンとなっている。なお、晩年に生まれた長男が、後年の国王ルイ十二世（在位一四九八−一五一五）である。このシャルル・ドルレアンが催した「ブロワの詩会」（開催時期ははっきりしない）では、「泉のほとりで死にそうに咽喉がかわき」で始まる、矛盾づくしのバラードの競作が行われ、ヴィヨンも参加している。バラードという定型詩は通常、三つの詩節と一つの「反歌」で構成される。矛盾した内容を列挙した単純な遊戯詩だが、全編を引いておく。

矛盾のバラード

わたしは泉のそば、死ぬほどのどが渇き
火のように熱くて、歯をガチガチ言わせてる
わたしは自分の国にあって、遠い土地にいる
真っ赤な炭火のそばで、焼けつくように震えてる
ミミズみたいにすっ裸、裁判長みたいに着込んでる
泣きながら笑い、希望もなしに待っている
暗い絶望のただ中に慰めを見つけてる
喜んでるけど、少しも楽しくないし
力はあるのに、無力で無能力、
歓迎されながら、みんなに拒絶される。

たしかなのは、不確実なことばかり
まったく明らかなこと以外は、不明瞭
わたしはたしかなこと以外は、疑わないし
学問とは、偶発的な現象だと考える

まるまる儲けながら、損をしたまま
夜が明けると、《こんばんは》と言い
地べたに寝てるのに、墜落しそうでこわくなる
食べていくだけのものはあっても、一文なし
だれの相続人でもないのに、遺産を期待
歓迎されながら、みんなに拒絶される。

わたしは無頓着なのに、がむしゃらになって、
望んでもいないのに、財産を手に入れようとする。
わたしにうまい話をする人は、わたしをもっともいらだたせる人
真実を語る人は、いつだってわたしにうそをつく。
わが友とは、いつもわたしをたぶらかして
白鳥のことを黒いカラスだと思いこませる人
わたしに災いをもたらすのは、思うに、助けを差し伸べる人
嘘も真実も、いまのわたしにはまったく同じもの

すべてを記憶にとどめているけれど、なにがなにやらわからない
歓迎されながら、みんなに拒絶される。

反歌

慈悲深い王さま、ご賢察のほど
わたしは博識なのですが、良識も英知もありません。
偏屈者ではありますが、慣例は守ります。
これ以上、どういたしましょう？　なにを？　質草を取り戻すだけ
歓迎されながら、みんなに拒絶される。

（拙訳、『ヴィヨン全詩集』国書刊行会、二〇二三年、所収。以下も同様）

こうした、ある意味では他愛もない作品を綴って、王侯にへつらうのが、宮廷に集う詩人の宿命でもあった。このとき、ヴィヨンがブロワ宮廷に寄寓していたか否かは不明であるが、「自分の国にあって遠い土地に居る」という一節などは、パリには戻れず、各地を彷徨うしかないわが身を歌っているとも解せる。また、「反歌」では「慈悲深い

王さま」の気前の良さに訴えて、「質草を取り戻す」ことを願っているのだが、原文は「ふたたびお給金をいただく」とも解せる。となると、かつてシャルル・ドルレアンの宮廷に入りこむことに成功したヴィヨンだけれども、またブロワを離れた、あるいは寵を失って放逐されて、ふたたび猟官運動を試みたのではないかというシナリオも浮上してくる。史料が残されておらず、もっぱらテクストから導き出された解釈にもとづいて、推理をめぐらせているにすぎないものの、詩人が、ブロワの宮廷に一時わらじを脱いでいたことは確実で、王の詩歌帖に残る本バラードも、詩人の自筆だと推測されている。

三　牢獄からの「書簡詩」――国王への感謝と司教への怨恨

詩人ヴィヨンの代表作は、全体で二千行あまりの長詩『遺言書』である。その冒頭で、さっそく恨みつらみが吐露される。

この苦痛というやつ、すべては
ティボー・ドシニーの差し金よ、

たしかに、あいつは司教さま、街で十字を切りやがる
でもな、わが司教だなんて、まっぴらごめんだ。
あいつはわたしの領主でも司教でもない（中略）
あいつが夏のあいだ、わたしにくれたのは
小さな丸パンと冷たい水だけだった
心が広いのか、狭いのかは知らないが、わたしにはけちだった
神さま、あいつに仕返しをしてください！（五−十六行）

詩人はなんらかの事情で、オルレアン司教ティボー・ドシニーの逆鱗にふれて、ロワール河右岸マン＝シュル＝ロワールの司教の城館に投獄されたらしく、司教を名指しで非難する。で、苛酷なひと夏を過ごしてどうなったのか？ 次のようにある。

これ〔『遺言書』のこと〕をしたためたのは一四六一年
折しも国王がわたしを
マン〔現在のマン＝シュル＝ロワール〕の厳しい牢獄から解放して

わたしに命を取り戻してくださった。
したがって、わが心臓が動くかぎり
王に恭順する義務がある
王の崩御まで、そうする所存、
恩顧とは忘れてはならぬもの。（八十一－八十八行）

そうなのだ、またしても、国王の「恩赦」によって釈放されたのである。これは史実とも合っている。一四六一年の夏、国王シャルル七世――シャルル・ドルレアンのいとこでもある――が死去して、その息子がルイ十一世として即位した。ランスの大聖堂で戴冠式を終えると、新王は居城のあるトゥールへと帰還するが、その帰途の十月二日にマン＝シュル＝ロワールの町に立ち寄ったことが確認されている。この当時、国王は「国王のフランス一周《トゥール・ド・フランス》」と呼ばれる国内巡幸をし、入市式（図3－4）を挙行、「ロイヤル・タッチ」と呼ばれる手かざしを病人におこなうなどして、みずからの威光を示し、人心の掌握をはかっていた。とりわけ新たに即位した国王の入市は、「祝賀入城」としてもっともめでたいこととされ、罪人たちには特別に恩赦・釈放のチャンスが与えられた。祝賀入城式とは、いわば恩赦のバーゲンセールなのだった（ちなみに、フランスでは現在でも、新大統領就任時に、交通違反などの微罪に対して恩赦が与えられる）。ヴィヨンもこの僥倖にあずかって釈放されたにちがいない。その際に、強力な小道具として役だったのが、次のバラード「友人たちへの手紙のバラード」ではないのかと、わたしは想像している。これも全訳を掲げておく。

友人たちへの手紙のバラード

憐れんでくれ、お願いだから、せめて
わたしを憐れんでくれよ、友人諸君！
わたしは地下牢にねてる、柊《ひいらぎ》やメイツリー(1)の下じゃない
神様がお許しになったせいで、〈運命〉の力で
こんな流刑の地に運ばれてしまった。
若くて、生き生きした男たちが好きな娘さん
槍みたいにきびきびと、矢みたいにぴょんぴょんと

跳びはねては、鈴のように澄んだ声ひびかせる
ダンサーや軽業師さんたち
あわれなヴィヨンを、ここに放っておくつもりですか？

思う存分、自由気ままにに歌う歌い手さん
することなすことおもしろい、陽気な遊び人さん
にせの金貨にも本物の金貨にも、とんと無縁の放浪者諸君
ちょっとばかり間がぬけた才子諸君
きみたちぐずぐずしすぎてる、だってその間に、あいつ死んじゃうよ。
レー、モテット、ロンドーなどの詩をひねくり出す諸君
こいつが死んでから、熱いスープを作ってやるつもりかい(2)！
こいつがねてるところには、稲妻も竜巻も入るわけない
厚い壁で、目隠ししてあるんだから。
あわれなヴィヨンを、ここに放っておくつもりですか？

こんなみじめなざまのあいつを、見に来てやってくださいな
四分の一税も十分の一税もかからない気高き人々よ
きみたちは、皇帝からも王様からも禄を受けず
ただ天国の神様にだけ仕えてるんだから。
こいつはね、日曜日も火曜日も断食しなくちゃいけないから(3)
おかげで歯が、熊手より長くなっちまった。
ケーキの後じゃなくて、かちかちパンの後で
腹に水をどぼどぼと流し込むしかないんだよ
地べたでね。だって、テーブルも台もないからね。
あわれなヴィヨンを、ここに放っておくつもりですか?

名指しされた王さま方よ、若いのも年寄りも
このわたしのために、国王の恩赦と印爾を取得してください。
そしてパンの籠かなんかで、わたしを引き上げてください。
ブタたちだって、おたがいそうしています

一頭が泣いて助けを求めれば、みんなでわっと駆けつけます。
あわれなヴィヨンを、ここに放っておくつもりですか？

(1)柊はクリスマスツリーの、メイツリーは五月の祝祭のイメージ。
(2)「後の祭り」という意味の熟語。
(3)日曜日、火曜日は肉食の日だから、要するに、いつでも断食同然だということ。

バラードを二編読んだところで、この定型詩のルールを簡単に説明しておく。「バラード」は原則として、三つの「詩節」と最後の「反歌」で構成され、「詩節」と「反歌」それぞれの最終行がルフラン（リフレイン）となる。つまり、ルフランは四回ということだ。「反歌」の行数は「詩節」の半分というのが標準だが、例外も多い。この「友だちに寄せる書簡詩」では、「詩節」が十行だから、「反歌」は五行となるけれど、奇数行だと「脚韻」が半端になるから、六行にしてあると考えればいい。なお、「反歌」の冒頭では、「王さまPrince」と呼びかけられるのが決まりで（「王女さまPrincesse」など、類似の語も許容される）、これは中世の詩歌コンクールの審査委員長への呼びかけが起源だという。

四　バラードで「名指しされた王さま方」はだれか？

さて、この「友人たちへの手紙のバラード」は、獄中の「わたし」に「国王の恩赦と印爾」を取得してください、地下牢から出して下さい、「あわれなヴィヨンを、ここに放っておく」なんてひどいと、時にコミカルな調子で救出を訴える懇願のバラードである。では、助けを求められているのは、本当に「ダンサーや軽業師さん」、「放浪者諸君」なのだろうか？　とても、そうとは思えない。「国王の恩赦と印爾」を獲得する能力を、彼ら放浪の民に期待しても空しいではないか。ここはやはり、パリから逃げ出して、各地をあてどもなく彷徨うしかないおのれの運命を、そうしたさすらいの民と重ね合わせて歌ったものと解すべきところだ。詩人は一時期、そうした連中と漂白の旅を共にしたとも推定されている。

ここで重要なのは、「反歌」における君主への呼びかけだ。いや、これはバラードという定型詩の約束事だから、単なる決まり文句にすぎないといって無視してはならない。ここではPrincesと複数形になっていることに着目したい。つまり、文字どおり複数の「君主」に呼びかけられていると考えてみたいのだ。「名指しされた王さま方」とは、恩赦状の新たな名義人である国王に即位したばかりのルイ十一世と、詩人のかつてのパトロンにして新国王の親戚でもあるシャルル・ドルレアンと解釈するのがもっとも自然であろう。

　詩人は、かつて「恩赦状」を獲得して無罪放免となった経験があって、いわば味をしめているわけだから、この書簡詩もそうした意図によって書かれたものとして読み取りたい。またしても窮地に陥った詩人は、かつてのパトロンと即位したばかりの国王を友だちに見立ててバラードを綴り、助けを求めたのではないだろうか？

図3–4　新国王ルイ11世のパリ入市式

　シャルル・ドルレアンが、ランスからオルレアンまで新国王に同行していることには史料的な裏付けがある。となれば、マン＝シュル＝ロワールへの入市式の際に、彼が同席していても少しも不思議ではない――なにしろマンは、シャルルの居城ブロワに帰る途中の町なのだから。この「手紙のバラード」を捧げられたシャルル・ドルレアンは、いとこの息子に当たる新国王に、ヴィヨンというのはちょっとばかりたちが悪い奴なのだが、なんとか釈放してやってくれないかと働きかけたという情景を思い浮かべるのは、いささか想像力が勝ちすぎているかもしれないが。

ともあれヴィヨンは、またしても運よく娑婆に出ることができた。ここでも「恩赦嘆願」に類するディスクールが少なからず寄与していることは確かである。そこで詩人は、『遺言書』において、国王への御恩は一生忘れませんと書いたのである。

五　無心のバラード――本物の書簡という体裁

こうして、自由な空気を吸える身となった彼は、通称「フランスの敵に対するバラード」を、国王への謝辞として執筆している。「フランス王国を呪うような者は！」というルフランを用いた、愛国の博識なバラードだが、詳細は略したい。ここでは、同じ頃書いたらしい「王さまへの嘆願状」というバラードの最初の詩節を紹介する。

王さまへの嘆願状

わが主君にして、畏怖すべき王さま
百合の花の紋を戴く、王の御子よ、
フランソワ・ヴィヨンは、ぼかぼかやられて満身創痍、
〈苦難〉に手なずけられたこの男
拙文をもちまして
幾ばくかの寛大なる貸し付けをばお願い申し上げます。
貸し倒れのご心配でもございますれば
いかなる法廷にも出頭いたすことは覚悟の上
いかなる損害もご迷惑もなく
あなたさまが失うものは、待ち時間だけ。

この無心の詩で「わが主君」と呼びかけられているのがだれなのかについては諸説があるが、最近ではシャルル・ドルレアン説も有力である。「ぼかぼかやられて満身創痍」

であっても、道化た調子は失われてはいない。苛酷な夏を過ごしたマン＝シュル＝ロワールの地下牢からようやく出たものの、パリに帰る路銀にも事欠いて、「百合の花の紋を戴く、王の御子」であるブロワ殿に金欠病を訴えた詩篇と解釈してみたい。阿諛追《あゆつい》従《しょう》のさもしい作品ともいえなくもないけれど、リュトブフの詩からもわかるように、中世の詩人は多かれ少なかれ、このようにして自分を卑下して窮状を訴えて、なにがしかの金品を拝領するという生きざまを余儀なくされてきたのであって、ヴィヨンとても例外ではない。

ところで、この作品がユニークなのは、「十行＋十行＋十行＋五行」とバラードの定型を守って終わったあとに、次のように記していること。

［手紙の裏に］
行け、手紙よ、飛んで行け！
おまえには足も舌もないけれど、
おまえの演説ではっきりと示すのだ、
わたしがひどい金欠病なのだと。

詩人は、バラードという定型詩をすこしばかり逸脱して、「手紙」を実践してみせたのか。ひょっとすると、実際に書簡の体裁をとってシャルル・ドルレアンに送られたのではないだろうか？　もちろんそのような証拠は残っていないのだけれど。

ヴィヨンにとっての詩は、一方では文学であり、虚構であり、言語遊戯であったにちがいない。しかしながら、他方では、とりわけ多くのバラードは、「恩赦」や「金銭」など、具体的な利益・効用を得るという期待の地平のもとに創作されたにちがいないのである。「バラード」の使用価値がこうしたところにあったことを知れば、作品の魅力も増すにちがいない。

六　死刑宣告、そして所払い

かくして路銀も頂戴し、晴れて自由の身となって、一四六一年の秋にパリに戻った詩人は、いよいよ大作『遺言書』のまとめに入る。「騙したり、へつらったり、あざ笑いしたり、なにがいいんだ？／(中略)罪深く生きて、隣人が信じられず／枕を高くして眠れないとは、はたしてなんなのか？／いいかい、要するにだね、善徳を積むことを考えようじゃないか」（「良き忠告のバラード」）と本心で思っていたかどうかは、神のみぞ知るだが。

ところがである。好事魔多しというか、彼はごく短期間しか娑婆の空気を吸えなかった。翌年には、以前の「ナヴァール学寮盗難事件」（一四五六年）で投獄、なんとか釈放されるも、今度は公証人フェルブー刺傷事件に居合わせたがために逮捕されて、なんと死刑判決を受けてしまうのだ。仮に当時、「累犯加重」という観念が存在したにしても、死刑判決はいくらなんでも厳しすぎるではないか。ここは、すごすごと引き下がるわけにはいかない。当然のこととして、上訴して（「ヴィヨンの上訴」というバラードが残されている）、なんとか絞首刑は免れたものの、一四六三年一月五日付けで、「上記ヴィヨンの悪辣なる人生にかんがみて、パリ市から十年間追放する」と宣告されてしまうのだった。

そこで書いたのが、死刑を免れた喜びと感謝とを述べた、「法廷への讃辞と懇願のバラード」なのだが、最後の「反歌」で、ちゃっかりおねだりをするのがいかにもヴィヨンらしい。

王さま、わたしに三日間の猶予をくださいませ
身支度をいたし、身内の者に永の別れを申すために。

彼らなしではわたしは無一文、手元にも両替商にもございません。
光輝ある法廷よ、わが願いを拒まず、受理してくださ い
善行の人々の母君よ、祝福された天使たちの妹君よ。

家人に別れをして、餞別をもらうために「三日間の猶予」をくださいねというのである。やがてパリを離れたヴィヨンは、どうなったのか？　以後、彼に関する記録はいっさいなく、その消息は杳として知れない。まもなくこの世とおさらばしたのだと思われる。思い起こせば、詩人ヴィヨンの生涯とは、幾度も逮捕・投獄されては、なんとか娑婆に出ようとして、必死に恩赦や上訴の詩を綴り、はたまた、王侯の庇護を得るべく、権勢にこびる詩を書くこととの繰り返しなのであった。

◉第四章 ルネサンス人の読書のエコロジー

第二章で「音読」から「黙読」への非常に緩慢な変化についてふれた。この変容によって、人々は共同体や広場といった枠組み・制約から逃れて、時にはくつろいだ姿勢で、プライベートに本のページを目で追うことができることになった。そこで本章では、ペトラルカ（一三〇四―七四）、マキァヴェッリ（一四六九―一五二七）、モンテーニュ（一五三三―九二）という、ルネサンスを代表する三人の著作家たちが、いかなる読みのふるまいを示したのかについて、具体的に検証してみよう。なお、いずれの人物に関しても、その生涯は略年譜に譲り、ただちに読書の現場に迫ることにしたい。

一 ペトラルカ――「風景の発見」「内面の再発見」

図4-1　アヴィニョンから望む、雲をいただいたヴァントゥー山

表4-1　ペトラルカ年譜

1304年	フランチェスコ・ペトラルカ、フィレンツェの南の町アレッツォで生まれる。
1312年	アヴィニョンに移り住む。
1320年	ボローニャ大学法学部で学ぶものの、むしろ古典文学に熱中する。
1326年	父の死去を知らされて、アヴィニョンに戻る。
1327年	人妻ラウラとの運命的な出会い。世俗語（イタリア語）による詩の発想源に。
1330年	ジョヴァンニ・コロンナ枢機卿に仕える
1333年	キケロの作品を発見して、転写する。以後、古典古代の文化の再生をめざす「ユマニスト」としての名声が高まる。アウグスティヌスの『告白』を贈られて、宗教文学にも目覚める。
1336年	南仏のヴァントゥー山に登頂。近代的な山岳登山の先駆けともされる。
1337年	アヴィニョン郊外ヴォークリューズに隠遁して、「孤独生活」を始める。ラテン語・イタリア語の両方で創作活動。
1341年	ローマで、桂冠詩人の栄誉を受ける。
1346年	『孤独生活論』（ラテン語）
1348年	ペスト大流行（ボッカッチョ『デカメロン』の背景となった）
1350年	フィレンツェで、年少のボッカッチョとの初対面をはたし、終生の友情を育む。
1353年	ミラノのヴィスコンティ家に迎えられ、以後、外交使節として各国に赴く。『カンツォニエーレ』の推敲、『書簡集』（ラテン語）の編纂に傾注する。
1361年	ペストを避けてヴェネツィアに移住する。
1370年	パドヴァ近郊のアルクアを、終《つい》のすみかとする。
1373年	ボッカッチョから『デカメロン』を受領する。
1374年	7月19日、永眠、享年70歳。

ペトラルカは、一三三六年四月二十六日、南仏のヴァントゥー山（図4-1）に登頂している（ヴァントゥー山は、現在では、毎年夏恒例の自転車競技「ツール・ド・フランス」の山岳ステージで有名）。この登山について、彼は、敬愛するアウグスティノ会士ディオニージに宛てた書簡を残している。その冒頭に、「このあたり一番の高山はいみじくもヴァントゥー山とよばれていますが、私はきょう、これに登りました。ただ、有名な高山の頂を見てみたいという願望にかられてのことです[1]」とあって、最初の近代的な登山、あるいは風景の発見として名高く、「自然と人間の再発見」を告げる記述だとして、この書簡が引用されることも多い。

ペトラルカは弟といっしょに従僕たちを伴って登山した。その弟は「尾根づたいに、ずんずん高いところをめざして登っていった」という。ところがペトラルカ本人は、「遠回りになってもいいからもっと楽に進みたい」と思って、谷間のあたりをさまようのだった。実は、この登山記録は、実際の山登りの記述であると同時に、「自己の悩みについて」というタイトルが物語るごとく、彼の彷徨する精神の記録ともなっていることが興味深い。書簡は、登頂当日の夜、宿屋で書いたと記されているが、実際は、この登山体験の反省・内面化を経て、何年も後に書かれたと推測されている。弟が一気に高みをめざしたというのは、彼が世俗のことがらに惑わされることなく、聖なる道を、すなわち聖職者となったことを暗示している。それに対して、兄の心にいかなる懊悩が去来していたかといえば、若き人妻ラウラとの邂逅に導かれたとはいえ、自分が、世俗語であるイタリア語による恋愛詩の創作に夢中になったり、あるいは政治に参画したりして、いわば俗世で「虚栄の」人生を送り、名声欲に支配されてきたことに対する自責の念なのであった。彼は、晩年の『無知について』（一三六七年）のなかでも、自分は若い頃、名声欲という「ペスト」に罹っていたと告白している。「遠回り」をして、谷間をさまよう姿は、彼のそうした迷える前半生を象徴している。

やがて、山を登りながら、彼は、「いわゆる浄福の生は、そびえたつ高みに位しており、周知のように、それにいたる道はせまい。しかもその間には多くの峰々が横たわっている。われわれは徳から徳へと足どりもみごとに歩みのぼっていかなければならない」と、悟りを開く。そして山頂から眺める雄大な自然に感激して、イタリアの方向に視線をやっては祖国に思いを馳せる。その心は「内省」で満たされて、「思いは空間から時間」へと移行していく。ペトラルカにとっては、風景の再発見と自己の内面の再発見が、ひとつに結びついていたのだ。弟とはちがって、自分は「まだ港に入っていない」ことを自覚している彼は、ふと携えてきた書物を開く。この登山にも、ディオニージから贈られたアウグスティヌス『告白』を持参したのである。

あなたの友情の贈り物であるこの書を、私はその著者と贈り主との記念にたいせつに保持し、片時も手放さずにたずさえているのです。それは掌《て》の中におさまるほどの小型版で、ひじょうに小さな書物ではありますが、無限の甘美さを宿しています。

（同書簡）

まだ写本時代ゆえ、むろん手書きの本なのだが、それが小型の本であったことが重要なのであって、そこに宿された精神性をも含めて、われわれはここに、「文庫本」――「袖珍本《しゆうちんぼん》」ともいう――の原点を見ているような気がして、深い感動をおぼえる。それは、自然のただなかにまで携えていける英知にほかならないのだ。やがて活字本が誕生して間もなく、手のひらサイズの古典がヴェネツィアで出現するが、これを予告しているかに思われる。

さて、ペトラルカがアウグスティヌスを開くと、たまたま、《人びとは外に出て、山の高い頂、海の巨大な波浪、河川の広大な流れ、広漠たる海原、星辰の運行などに讃嘆し、自己自身のことはなおざりにしている》〔『告白』一〇・八〕という一節が目に飛び込んできたという。すでに述べたところではあるが、本書簡は後年の創作だといわれるから、ぱっと本を開いたら、この一節に遭遇したというのは、むろん虚構にはちがいない。とはいえ、はるか地平線のかなたを眺めていて、ふと持参した小型本を開くと、おまえは外ばかりに、世間的なことばかりに目がいってるじゃないか、自分自身をふりかえってみろ、自分の中を見るんだと諭されるという、この改心のシナリオは秀逸というしかない。ここでは、小さな書物が、その人の思考を、自然の地平から精神の地平に転換するための蝶つがいのような役割を、見事に、きわめて象徴的に演じている。そして彼は、次のように考えて愕然とするのだった。

魂の偉大さにくらべれば何ものも偉大ではないということを、（中略）学んでおくべきであったのに、いまなお地上のものに感嘆している、そういう自分が腹立たしかったのです。いまや私は、山を見ることには飽きてしまって、内なる眼を私自身へとふりむけました。（中略）あのアウグスティヌスのことばに私はすっかりとらえられ、沈黙の内省にふけったのです。そのことばとの出会いが偶然だったとは私には思えませんでした。あのとき私が読んだことは、ほかのだれにでもなくこの私に言われているのだと思いました。（中略）人間は愚かにも、みずからのもっとも高貴な部分をなおざりにして、さまざまなことに気を散らし、むなしい眺めにわれを忘れては、内部にこそ見いだせるはずのものを外にもとめている。（同書簡）

外にばかり目を向けていた自己を反省して、内面を見つめなさいという教えを、キリスト教の書物が引き受けていることも見逃すべきではない。ユマニスム（人文主義）は、ギリシア・ローマという異教の復興だと誤解されやすいが、キリスト教を排除したら、おそらくは真のユマニスムとはいえない。ペトラルカはここで、自分がキリスト教的ユマニスムを選び取ったことを、静かに宣言している。

こうして彼は翌年、南仏ヴォークリューズに「隠遁」して「孤独な生活」を始めると、「人間の本性の探求」へと、真のユマニスムへと向かう。自然のただなかで、掌中にすっぽりおさまる古典をひもとくことを通して、内省をおこなうこと——ここには、中世の僧院の個室における「精神の読書」とは一線を画した、心身の自由ないとなみとしての読書という新しい姿が集約されている。ペトラルカは晩年、座右の小型本を、「この本が、きみとともに旅を続けることを祈る」といって、若き友人に贈るのだった。ユマニスムの精神は、こうして次世代へと受け継がれていくのである。

二　マキァヴェッリの一日――森、居酒屋、そして書斎

内と外の往還に書物が大きな役割を演じていることについて、今度はニッコロ・マキァヴェッリの例を見てみよう。

一五一三年、それまでフィレンツェ共和国の官僚として活躍してきたマキァヴェッリは、反メディチの陰謀に加担した疑いで下獄する。結局は教皇即位時の恩赦で釈放されるものの、彼は市内には戻らず、フィレンツェの南に所有していた山荘で暮らした。現在では、ワインの「キャンティ・クラシコ」の産地となっている地域である。こうして自然のなかで「浪人生活」を送るのだ。翌年には市内に戻ったともいうから、決して長い期間ではないけれど、彼の生涯においては決定的な時期なのであった。

マキァヴェッリがこの山荘から書き送った書簡は八通残されている。ここでは、親友

表4-2　マキァヴェッリ年譜

1469年	ニッコロ・マキァヴェッリ、フィレンツェで、法律家の息子として生まれる。名門だが没落階級で、高等教育を受ける機会はなかったものの、ラテン語の手ほどきを受けて、古典の世界に親しんだ。
1492年	ロレンツォ・デ・メディチ死去。ピエロが後継者に。
1494年	ピエロ・デ・メディチのフィレンツェ追放。サヴォナローラによる神政政治。
1498年	サヴォナローラの処刑、フィレンツェ共和国の復活。マキァヴェッリは「第二書記局書記長」に抜擢される。「第二書記局」の本務は内政・軍事であったが、外交交渉などでも東奔西走して活躍する（『使節報告書』を著している）。
1506年	『フィレンツェ国を武装化することについての提言』
1512年	フィレンツェ共和国終身長官ピエロ・ソデリーニ、国外に逃れる。メディチ家の帰還。
1513年	反メディチの陰謀に巻き込まれて逮捕・投獄され、拷問を受け、職を解任されるも、ジョヴァンニ・デ・メディチ枢機卿が教皇レオ一〇世となって、恩赦・釈放される。再び仕官する望みを秘めつつ、一家でフィレンツェ郊外Sant'Andrea in Percussinaの山荘に引きこもる。友人フランチェスコ・ヴェットーリ（駐教皇庁大使）との往復書簡の始まり。『君主論』を執筆（出版は死後）。不遇な日々ともいえるが、以後、著作は多く、「作家」マキァヴェッリの誕生ともいえる。
1514年	フィレンツェに戻ったらしい。
1518年	喜劇『マンドラーゴラ』を著し、大成功を収める。
1520年	『カストルッチョ・カストラカーニ伝』
1525年	『フィレンツェ史』
1527年	5月6日「ローマ略奪」。6月21日、マキァヴェッリ死去。

でローマ駐在フィレンツェ大使フランチェスコ・ヴェットーリに宛てた長文の手紙を読んでみたい。もっとも有名な書簡の一つである（ちなみに、塩野七生『わが友マキァヴェッリ』も、この手紙の紹介から始まっている）。途中を略しつつ、一気に引用することで、貧乏暮らしという優雅な日々を伝える書簡の醍醐味を味わってみたい。

運命の女神はあらゆることをしたがるものですから、（中略）こちらはおとなしく、運命に逆らわずにいることです。そして、運命の女神が人間に何か任せてやってもよいという気になる時機をうかがうのです。その時が来れば、貴兄はもっと任務が増えて忙しくなるでしょうし、私は山荘をあとにして「ただいま参上」と言うことができるでしょう。でも今は、貴兄のご好意に同等のお返しをしようと、私の暮らしぶりをこの手紙でお伝えすることしかできません。（中略）

私は山荘におります。例のことがあって以来、フィレンツェにいたのは全部合わせても二十日もありません。これまで私はツグミ猟をして日々を送っていました。（中略）一度に少なくとも二羽、多いときは六羽も捕まえました。十一月はずっとこうしていたのですが、こんな胸の悪くなるような変わった暇つぶしも、残念ながら終わってしまいました。さて、私の暮らしぶりをお話ししましょう。私は日の出とともに起き、所有している森のひとつに足を運びます。そこでは木を伐らせていますが、二時間ほどかけて、前日の仕事の出来具合を確かめたり、木こりたちの相手をします。連中ときたら、仲間同士や近所の誰かといさかいを起こしてばかり。困った奴らです。［以下、具体的なトラブルが記される］（中略）

森を出ると、私は泉へ行き、さらに、鳥の罠をしかけるお気に入りの場所に向かいます。手には本を一冊、ダンテかペトラルカ、あるいはティブルス［前一世紀の詩人］

やオウィディウスなど、もっとささやかな詩人のものを携えて。彼らが恋し情熱に身を焦がすさまを読むと、私自身の恋を思い出し、しばし甘美な物思いに耽ります。
それから居酒屋の前の道へ河岸《かし》を変え、通りすがる人たちを言葉を交わし、お国の最近のできごとについて尋ねます。（中略）そうしているうちに食事どきになり、このつつましい山荘とわずかな財産が許す程度のものを家族と共に食べます。食事がすむと居酒屋へ戻ります。そこにはいつも、亭主に、肉屋が一人、粉屋が一人、窯焼き工が二人いて、私はこの連中と一緒になって、一日中クリッカやトリック・トラック［ともにトランプ・ゲーム］なんぞをしながら遊びほうけているのです。（中略）こんな風にシラミまみれ［「シラミ pidocchio」には「けちな奴」の意味もあり、それに掛けている］になることで、脳味噌に生えたカビをこそげ落とすのです。運命の奴め、私を踏みにじってこんな境遇に追い込んだけれど、こちらは痛くもかゆくもない。（中略）
晩になると、家に帰って書斎に入ります。入り口のところで泥や汚れにまみれた普段着を脱ぎ、りっぱな礼服をまといます。身なりを整えたら、古《いにしえ》の人々が集う古《いにしえ》の宮廷に入ります。私は彼らに暖かく迎えられて、かの糧を食します。その糧は私だけのもの、そして私はその糧を食べるために生まれてきたのです。私は臆す

図4-2　マキァヴェッリの山荘。『君主論』を執筆したと伝えられる机

ることなく彼らと語り合い、彼らがとった行動について理由を尋ねます。すると彼らは誠心誠意答えてくれます。四時間もの間、退屈など少しも感じません。あらゆる苦悩を忘れ、貧乏への怖れも死に対するおののきも消え去って、彼らの世界に浸りきるのです。学んだことも覚えなければ知識とはならない、とダンテは言っています〔『神曲』「天国篇」第五歌41-42〕。だから私も、彼らとの会話で得たものを書き留め、『君主論』（図4-2）と題する小論にまとめました。（中略）よってこれをジュリアーノ殿に捧げることにしました〔実際はジュリアーノ・デ・メディチは没し、甥のロレンツォ・デ・メディチ（「小ロレンツォ」）に謹呈される〕。（中略）

私は献上の必要にかられています。もうよれよれで、貧乏ゆえに蔑《さげす》まれそうなこんな状態を長く

は続けておられません。さらに、メディチ家の方々が私を採用して下さるのではないかという望みもあります。石ころを転がすような仕事でもいいのです。献上してもそれが得られないなら、自分のふがいなさを嘆くだけです。（中略）ですからどうか、上記の件について貴兄のお考えをお便りにてお聞かせ下さい。よろしくお願いします。ご多幸をお祈りしつつ。(2)

これで全体の三分の一ほどだろうか。自分が「運命の女神」に翻弄されて、官吏の職を追われたものの、いずれ時機がくれば「ただいま参上」といえるかもしれない、「私は献上の必要にかられています」などとあることに注目したい。再び仕官する希望を捨ててはいないのだ。この山荘を実際に訪れるとわかるが、庭の端からはフィレンツェのドゥオーモが遠くにかすんで見えている。彼はこの場所に立ち、公職への復帰を祈念していたのかもしれない。さて、日常生活の報告がなされる。

一日で最初の仕事は、所有する森林からの薪の運び出しを、領主として監視することであった。いわば「経営者」としての仕事をはたすのだ。それから、お気に入りの場所に行ってダンテ、ペトラルカ、オウィディウスなどの恋愛詩を読むのだという。半世紀以上前に活字本が出現しているから、印刷された小型の詩集を携えて森間の空き地かなんかに向かい、詩を読んでは「しばし甘美な物思い」にふけり、自分の青春時代を回想していたに相違ない。それから、村の人々から「お国の最近のできごと」、つまりフィレンツェの状況などを聞く。最新情報の入手という、外交官時代に身についた習慣は、そうやすやすと失われるものではない。自宅で食事を済ませると、今度は居酒屋へくり出してトランプ・ゲームをして、運命といういたずらを吹き飛ばしてやろうとしたというのも面白い。権力側の勝手な都合で、「第二書記局書記長」を首になったという悔しさがにじみ出ている。

さて、ここからが彼にとって一日でもっとも重要な時間である。帰宅して、夜も深まると、古典との対話の開幕だ。「身なりを整えたら、古《いにしえ》の人々が集う古《いにしえ》の宮廷に入ります」とある。着替えという、お清めの儀式をおこなってから書斎に入るというふるまいが、象徴的である。自然に遊び、居酒屋で賭け事を楽しむのは、あくまでも外の時間であって、「古《いにしえ》の宮廷」の人々、つまり古典のテクストとの対話は内なる時間なのだ。かの吉田兼好が、「ひとり、燈火の下に、文を広げて、見ぬ世の人を友とするぞ、こよなう慰む業なる」（『徒然草』第十三段）と書いたところとも共鳴するではないか。マキァヴェッリは、着替えという象徴儀礼をおこなって、外の時間から、一瞬にして内の時間へと入っていく。『君主論』は、こうした内と外との往還の日々から誕生したのである。ユマニストとは、けっして書斎に引きこもった知識人ではない。彼らにとっては、外・自然があってこそ、内・内省が有意義な存在となるのだ。

仕官の望みを捨てなかったとはいえ、実際の彼は、その後は現実の政治に深くかかわることはなかった。要するに、浪人の身が、「作家」マキァヴェッリを誕生させたのだ。『君主論』を始めとして、『フィレンツェ史』『政略論《ディスコルシ》』、さらには喜劇の傑作『マンドラーゴラ』等々、いずれも、いわば失職後の晩年に執筆された。官僚として政治・外交の現場に立っていたならば、あまりに多忙な日々であったろうから、こうした作品は書かれなかったにちがいない。マキァヴェッリの著作とは、まさに「余暇の産物《オテイウム》」にほかならなかった。ルネサンス人にとっては、「書斎」「読書室」といったプライベートな空間と並んで、「余暇」がきわめて大切なものとなった。

三　モンテーニュの塔――「自分におもねる場所」

内と外との往還運動の必要性――モンテーニュも例外ではない。「たしかな線はいっさい引かないのが、わたしの流儀だ」（『エセー』第三巻九章「空しさについて」）と述べて、旅する人として寄り道を好んで、『旅日記』も残し、人々との交わりを愛したと同時に、古典との対話を偏愛したのがモンテーニュという人間だった。「孤立した場所にいることが、むしろ私を外部に拡張する」（『エセー』第三巻三章「三つの交際について」）という発言が象徴するごとく、プライベートな空間での古典との交わりが、逆に彼の世界観を広げていったと思われる。ここではルネサンスの読書空間の典型として、『エセー』の作者が屋敷の塔の三階に設けた図書室を見てみよう。

若くしてボルドー高等法院の判事職に就いたが、「わたしはむしろ正義・裁き justice に背いた」（『エセー』第三巻十二章「容貌について」）と告白しているように、人を裁くことが性に合わず、大法廷に移ることもかなわなかった。彼は早々とその職を退いて、田舎の所領に引っこみ、いわば農場主としての日々を送る。この間、大使職など国政レベルでの野心もあったようだが、結局は二期にわたるボルドー市長を、いわばキャリアの頂点として、「公」の世界から「私」の世界に引き下がる。そして、最終的には「これは、その著者と実体を同じくする書物」（『エセー』第二巻十八章「嘘をつくこと」）だとして、「わた

表4-3　モンテーニュ年譜

1533年	2月28日、Michel Eyquem de Montaigne、南仏ペリゴール地方の領地で生まれる。ワインや染料の取引で財をなした家系で、父ピエール（1495–1568）は軍人でのちにボルドー市長、母アントワネット（1510頃–1601）。まもなく里子に出される。
1535年	ドイツ人の学者から、ラテン語の直接教授法による教育を受ける。
1539年	最年少で、ボルドーのギュイエンヌ学寮で学ぶ（1546年まで）。
1540年代後半～1550年代前半	各地の大学で学んだらしい。
1554年	父がボルドー市長に。ペリグー御用金裁判所判事のポストを叔父から譲られる。
1557年	ペリグー御用金裁判所がボルドー高等法院に吸収され、モンテーニュもその判事となる。同僚エチエンヌ・ド・ラ・ボエシー（1530–63）と知り合い、肝胆相照らす仲となる。
1559年	新王フランソワ二世についてバール＝ル＝デュックに行く。
1562年	「一月王令」。「ヴァッシーの虐殺」、第一次宗教戦争始まる。パリで、パリ高等法院のカトリック信仰の宣誓に参加。シャルル九世にしたがって、ルーアンに赴く。ネイティヴ・アメリカンと会見か。
1563年	心友ラ・ボエシー、流行病で死ぬ。
1565年	ボルドー高等法院判事の娘フランソワーズ（1544–1627）と結婚。以後、六人の子供を授かるが、ほとんど早死にし、成人したのは次女のみ。
1568年	父の死去にともない、モンテーニュ家の当主となる。
1569年	スペインの神学者レーモン・スボンの『自然神学』を仏訳して出版。
1570年	ボルドー高等法院判事の職を売却。パリで、ラ・ボエシー『著作集』の刊行に尽くす（翌年、上梓）。
1571年	モンテーニュ村のシャトーに隠遁し、領地の管理と読書三昧の日々。
1572年	この頃『エセー』を書き始めたのか？
1576年	天秤と「われは判断を中止す」という銘のメダルを鋳造。
1577年	腎臓結石症の発作、生涯の持病に。
1580年	『エセー』初版（第1巻・第2巻のみ。ボルドー、シモン・ミランジュ書店）。6月、持病の治療とローマ詣での長期旅行に出る。各地で、温泉治療。
1581年	トスカーナのデラ・ヴィラ温泉に逗留中、ボルドー市長に選出されたとの知らせを受け、結局は受諾して、帰郷する。
1582年	『エセー』第2版（ボルドー）。
1583年	市長に再選される。
1584年	アンリ・ド・ナヴァール（のちのアンリ四世）、モンテーニュ邸を訪れて宿泊。
1585年	市長職終了。『エセー』の第三巻を書き始める。
1587年	王位継承者となったアンリ・ド・ナヴァール、モンテーニュの屋敷に宿泊。
1588年	5月、パリで市街戦となり、アンリ三世は脱出、モンテーニュも同行したらしい。6月、第三巻までを収めた『エセー』（パリ、アベル・ランジュリエ書店）刊行。夏から秋、マリー・ド・グルネー嬢の屋敷に滞在。
1589年	アンリ三世が暗殺され、アンリ・ド・ナヴァールがアンリ四世として即位。
1590年	政界復帰を固辞する書簡を国王に送り、読書と『エセー』加筆の日々。
1592年	9月13日、モンテーニュ、死去。
1595年	友人ピエール・ド・ブラック、マリー・ド・グルネーの努力により、モンテーニュの加筆を活かした『エセー』死後版（パリ、アベル・ランジュリエ書店）。
1598年	ナントの勅令、宗教戦争が終わる。

し」を主題とする著作『エセー』に心血を注ぐのだった。

さて、その屋敷は城壁に囲まれて、四隅には塔が立っていたが、モンテーニュはその塔のうち一つの三階部分を書斎にしてしまう。「わが図書室《リブレリ》は、田舎のものにしてはとてもりっぱで、屋敷の片隅に鎮座している」（『エセー』第二巻十七章「うぬぼれについて」）というとおりで、現在も『エセー』の愛読者の聖地となっている（図4-3）。『エセー』という作品を生んだこの読書空間のことは、「三つの交際について」（第三巻三章）――三つとは、男性との、女性との、そして書物との交わりをいう――で詳しく語られている。いくつかの注解を添えるかたちで、これも、ひとまとめに抄訳してみよう。

平時であれ、戦時であれ、わたしは、書物なしに旅をすることはない。でも、何日も、何か月も、書物をひもとくことなく過ぎていくかもしれない。「もうじき読む」とか、「あした読もう」「気が向いたら読もう」などといっているうちに、時が過ぎ去っていくのだけれど、別にそれで気を悪くしたりしない。（中略）これこそは、わが人生という旅路で見出した、最高の備えにほかならない。だから、知性がありながら書物を欠いている人が、大変に気の毒でならない。（中略）

家でのわたしは、かなり頻繁に、わが図書室《リブレリ》に足を向ける。そして、ついでに、そこから家事《メナージュ》の指図もする。屋敷の入口の真上にいることになるから、菜園、家畜小屋、中庭など、わが家のたいていの部分を見下ろせるのだ。そして、ここで、ある時はこの本、またある時は別の本と、秩序も、目的も、とりとめもなくページをめくる。時には夢想をし、時には、歩きまわったりして、ここにあるような〔『エセー』のこと〕、とりとめもない思いを書きとめたり、綴ったりする。

図書室は、塔の三階にある。一階はわたしの礼拝堂〔自分の名前ミシェルにちなんで、守護聖人ミカエルの像などが描かれている〕であり、二階が寝室と続きの間になっていて、わたしはよく、ひとりになるために、ここで横になる。その上には、大きな個室《ガルド・ローブ》があるが〔「衣裳部屋」とも訳せる〕、ここは昔、屋敷でもいちばん役に立たない部屋であった。わたしはここで、人生のほとんどの日を、昼間の大部分を過ごすのだ。ただし、夜はけっしてここにはいない。この部屋の続きに、とてもしゃれた小部屋があって〔壁画が描かれているから、こう述べたのか〕、冬などは火を焚くにもちょうどいいし、快適な窓もついている。（中略）

引きこもる場所には、どこにも、散歩する空間が求められる。わたしの思索などは、それを座らせておくと、眠ってしまうのである。わが精神は、わが脚を動かしてやらないとだめで、ひとりぼっちで進んでくれないのだ。（中略）

図書室は円形で、わたしの机と椅子を置く場所だけは、壁面が直線になっている。ぐるっと円をなしているから、五段の書架にずらっと並んだ書物の数々が、一目で見渡せるという仕掛けだ。この部屋からは、三方の豊かな景色を見渡すことができて［窓が三つある］、直径にして一六歩分［約八メートル］の広さがある。冬には、ここに長時間居続けていることはあまりない。というのも、わたしの屋敷は、ぽつんとした丘の上にあって――名前［Montaigneの語源は「山」］もそこから来ているわけだが――、わが書斎ほど、吹きさらしになる部屋はないのだ。でも、この部屋までたどり着くのに、少々骨が折れることと、母屋《おもや》から離れた場所にあることが気に入っている。ちょっとした運動にもなるし、自分を世間の人々から遠ざけることができるからだ。ここが、わたしの座席《シエージュ》なのだ。わたしはこの座席に対する支配を、絶対に純粋なものにするように、また、この一角だけは、夫婦や、親子や、世間《シヴィル》という共同体《コミュノテ》からは引き離すように努力している。（中略）自分の家に、自分に立ち帰れる場所を、もっぱら自分におもねる場所を、身を隠す場所を持てない人間は、憐れと

図4–3　モンテーニュの塔

いうしかない。

（『エセー』第三巻三章「三つの交際について」）

仕事から読書への移行が、時間軸に沿ってなされたマキァヴェッリとは異なり、モンテーニュは、塔の三階で、家政も読書もこなすらしい。「わが図書室」の隣には小さな部屋があって、そこには中庭に面して窓がついていて、「菜園、家畜小屋、中庭、わが家のたいていの部分をのぞきこめる」から、使用人たちの仕事ぶりを監視し、采配をふるうのはむずかしくはない。そして、また書斎に引っ込めばいいのである。この文を読むと、書物を繙《ひもと》きながら、ときおり小部屋の窓から家政を監督するミシェル殿の姿が彷彿としてくるではないか。それにしても、「自宅に、自分に立ち帰れる場所を、もっぱら自分におもねる場所を、身を隠す場所を持てない人間」は憐れな存在だという指摘は、きわめて近代的な発想ではないだろうか？

こうして三人の例を見てきたが、「外と内」、つまり「行動と内省あるいは観想」、あるいは「政治的な生き方と隠遁生活」といったものせめぎあいに書物がからむというのは、ユマニストの生き方の常数であるように思われる。政治とは手を切れずに、最後はアントニウスの放った刺客の手で殺されたキケロなどは、そのはるかなる父祖かもしれない。

（1）「自己の悩みについて」、ペトラルカ『ルネサンス書簡集』近藤恒一編訳、岩波文庫、一九八九年、所収。以下、同様。なお、近藤訳の「ヴァントゥウ山」を「ヴァントゥー山」という一般的な表記に直した。原文Ventosumは「風が吹く、吹きさらしの」という意味。

（2）「書簡二四、フランチェスコ・ヴェットーリ宛」一五一三年十二月十日、和栗珠里訳、『マキァヴェッリ全集　6』筑摩書房、二〇〇〇年、所収。

◉第五章　著作権前史

一　「特認」――著作権の前身

あるテクストの複製を作って販売しようとする場合に、その権利を独占したいと考えるのは、けっして不自然なことではない。経済的な意味もあるだろうし、どこの馬の骨かもわからない輩に、まちがいだらけのテクストを出されても困るといった理由も考えられるだろう。こうした場合、権力者などに働きかけて、排他的な特権を確認する書状を出してもらう習慣が存在した。このような特権を「特認」と呼ぶ（「(国王)允許《いんきょ》」と訳されることもある）。「著作権」の前身と考えればわかりやすい。写本文化の時代にも、「この写本を複製することを許可する」といった内容の排他的な書状が発行されたことがあったかもしれないけれど、やはり、この種の特権は、活字印刷という大量複製技術の誕生と不可分の関係にあるにちがいない。

「特認」とは通常、著者や出版元が、特定の作品に関して何年間と年限を区切って、出版独占権を取得するものであった。国王などの権力者の名義で付与される例が多い。そして多くの場合、この「特認」テクストの抜粋が、当該の書物に印刷されて、独占権を侵さぬように注意を喚起するというシステムとなっていた。

では、最初の「特認」はいつ発行されたのだろうか？　水の都ヴェネツィアに印刷術を伝えたドイツ出身の技術者ヨハネス・シュパイエルに対して、一四六九年に五年間の出版独占権が与えられたのが嚆矢《こうし》をなすとされている。やがて一四九六年には、古典原典の出版で知られるアルドゥス・マヌティウスが、同じくヴェネツィアで、ギリシア語の書物に関して二十五年間の「特認」を獲得している。こうした例からもわかるように、「特認」とは出版人に付与されることが多かった。ここではフランスの実例を挙げてみたい。エリゼンヌ・ド・クレンヌ著の小説『恋の苦しみ』（一五三八年、パリ）である。エリゼンヌ・ド・クレンヌはペンネームで、本名はマルグリット・ブリミエ、領主さまの奥方が書いた初期の恋愛心理小説の傑作とも称される作品だ。そのタイトルページの裏に印刷された「特認」の抜粋を訳してみる。

印刷・書籍商のドニ・ジャノに対して、『恋の苦しみ』と題された三部構成の著作を印刷し、販売に供することを許可する。上記の嘆願人が印刷させた業者以外の印刷業者・書籍商は、これを印刷し、あるいは印刷させ、そして販売し、あるいは販売させることを、満二年間のあいだ禁止する。これに違反した場合は、印刷した書物を没収し、しかるべき罰金を申し渡すこととする。一五三八年九月十一日に署名の、嘆願書に記載のとおり。署名。ジャン・ド・メーム。

なんともそっけない内容とはいえ、「嘆願人」であるパリの印刷・書籍商ドニ・ジャノ（活動期間、一五二九－四五）が版権所有者であることは歴然としている。驚くべきは、作者のド・クレンヌに関する言及がいっさいないことか。このように、「特認」は作者ではなく、出版する側の権利とされる事例が目立つ。『恋の苦しみ』の場合、初版が出されただけで、二年間の出版独占権は切れてしまう。ちなみに、「著作権」が切れて、だれでも公刊できるような状態になることを、フランス語では「公共の領域に落ちる tomber dans le domaine public」という。「落ちる」という動詞といい、「公共」の「領域」といい、非常にわかりやすい表現だと思う（英語ではto be out of copyrightという）。むろん、十六世紀にはこうした概念は明確化されていなかったわけだが、この恋愛小説は、さして売れることなくして、二年間を過ぎたところで「公共の領域に落ちた」のだ。いや、もしかするとかなり売れたのかもしれない。というのも、一五四一年にはピエール・セルジャンが新版を出すのだ。ただし「公共の領域に落ちた」のだから、もちろん「特認」は添えられてはいない。

作者や翻訳者、あるいは編者に、この種の特権が与えられる場合も当然ある。またしてもヴェネツィアでの話だが、一四八六年、歴史家マルコ・アントーニオ・サベリッコが著書『ヴェネツィア十巻史』の「特認」を得ている。一五一五年には、アリオストがかの『狂えるオルランド』の終身出版独占権を、当時仕えていたフェラーラ公より賜って、その周知徹底をはかるべく、教皇庁やヴェネツィア総督に書状を送っている。こうして防衛手段をとってから、翌年に『狂えるオルランド』がフェラーラで出版されたのだが、たちまち大評判となったから、おそらくは、ほどなく海賊版が出されたにちがいない。いくら「特認」を獲得しても、実態としては、他の都市や外国で海賊版が出るのを完全に防ぎきれるものではない。というか、むしろ海賊版の存在こそが、その作品の人気のバロメーターともいえるのだ。また、国王から授与された「特認」が、ラブレーのような風刺的な作品の書き手にとっては、教会権力による介入を防ぐ「避雷針」のごとき役目をはたしていたことにも留意すべきであろう。

いずれにせよ、この時代には、著者、編者、翻訳者、印刷人と、書物の制作にさまざまなスタンスで関与する人々に「特認」が付与されていた。写本文化では、作者、編者、写字生、芸人といった人々が渾然一体となって、作品が作られ、変貌していったわけだが、初期の「特認」は、まだ写本文化を引きずっていたから、さまざまな人間に付与されたということかもしれない。テクストの権利者としての作者というステータスが正式に認められるのは、ずっと先の話なのである。「特認」を付与する側もまた、試行錯誤を余儀なくされている。たとえばヴェネツィアでは、一五三七年に、「それ以前に公刊されていない新たな著作」を「特認」の対象とすべきことが定められているものの、その解釈自体にも揺れが生じたと思われる。

なお、「特認」が取り消される事例も当然あるから、ひとことふれておく。マルク＝アントワーヌ・ミュレ（一五二六―八五）というフランスのユマニスト・詩人の死後、ニコラ・ニベルという版元が、ミュレによるキケロの注解版の「特認」を獲得して、出版の準備に入ったという。ところが、同様の計画を準備していた故人の友人たちは、「特定の書物の著者は、そのまったき主人なのであって」、編者・註解者ミュレの「遺志」は国王の「特認」に優先するという事由によって高等法院に訴訟をおこし、一五八六年、ニコラ・ニベルの「特認」は無効とされている。

二　「特認」の延長――モンテーニュ『エセー』の場合

ところで「特認」の期間は、一般的には数年から、せいぜい十年といったところにすぎない。現在の「著作権」が作者の死後七十年と、非常に長期間の保護を享受するのと比較すれば、かなり短期間であったことが特徴といえる。ただし、「特認」を持ち続ける手段は存在した。ヴェネツィアで「それ以前に公刊されていない新たな著作」を「特認」の対象とすることが明記されたと述べたが、「特認」の延長は、この定義とも関連している。テクストが同一物のままでは、なかなか「特認」は延長してもらえないものの、新たな要素を書き加えるなどして新製品にすれば、延長が可能だったのである。こうした視点から考えたとき、モンテーニュ『エセー』の「特認」の推移は非常に興味深い。具体的に紹介してみよう。

①一五八〇年版『エセー』〔初版〕(ボルドー)。版元は、作者の地元ボルドーのシモン・ミランジュ書店(活動期間は一五七二－一六二三)で、私家版に近い。第一巻、第二巻で構成される。ミランジュが印刷経費を負担し、モンテーニュは印刷用紙を用立てたらしい。その「特認」を訳出する。

「一五七九年五月九日、パリにて下付された国王の特認により、王の印刷業者S・ミランジュに対して、ボルドー大司教、あるいはその総代理により、そして神学博士一名ないし二名により認められた場合には、新刊すべてを印刷することを許可する。これ以外の者については、いかなる資格であろうとも、上記ミランジュの同意なくして、最初の印刷から八年間は、そうした書目の印刷、販売、小売りを厳禁する。詳細は、署名された特認状に記載。ド・ピュイベラル」

「新刊」の定義が曖昧だが、版元が包括的に獲得した「特認」であるから、作者モンテーニュの名前はいっさい出てこないが、その有効期間は「八年間」である。

②一五八二年版『エセー』〔第二版〕（ボルドー）。イタリア旅行から帰国してボルドー市長となったモンテーニュは、若干の加筆・訂正を施した『エセー』を、「増補・訂正、第二版」と銘打って出版する。①の「特認」がまだ有効であるから、そのまま巻末に印刷されている。

③一五八七年版『エセー』（パリ）。版元はジャン・リシェで、「特認」は付されていない。海賊版なのか、あるいは版権所持者ミランジュとのなんらかの合意があったのかは、定かではない。どこかで出て、押収された海賊版の販売をリシェが引き受けて、表紙だけを換えて出したとも推測されている（当時は書物は貴重品だから、海賊版をこのように「リユース」するケースも多い）。合法的な出版であるならば「第三版」と明記してもよさそうだが、「増補・訂正」とあるにすぎない。

④一五八八年版『エセー』〔第五版〕（パリ）。第一巻・第二巻に大幅な加筆がなされたのみならず、第三巻が付け加えられた、生前の決定版で、版元はパリのアベル・ランジュリエ。モンテーニュはその後、やや皮肉をこめて、「わが地元ガスコーニュでは、わたしの書いたものが印刷に付されると、人々はなんて妙なことだと考える。ところが、わた

しに関する知識が、わが住まいなるものから離れると、それだけ、わたしの価値は高まるのだ。ギュイエンヌ地方では、わたしが印刷業者に金を出すが、ほかの場所では、印刷業者が金を出してくれるではないか」（第三巻二章「後悔について」）とも書く。初版の八年間の「特認」期間が終わり、新たに九年間の「特認」が付与される。訳出しておく。

「国王の恩寵と特認により、パリ大学宣誓書籍商アベル・ランジュリエに対して、五百個所以上にわたり訂正・増補がなされて、第三巻を付け加えたところの、『モンテーニュ領主ミシェルのエセー』を、印刷し、あるいは印刷させることを認める。それ以外の印刷業者、書籍商に対しては、九年間は、上記の著作の印刷を固く禁止する。これに違反して印刷されたものが見つかった場合には、それらの書籍を押収し、しかるべき罰金刑に処する。詳細は、特認本体に示されたとおり。パリにて。一五八八年六月四日。署名。評議会により。デュデュイ」（図5-1）

『エセー』「第五版」は、テクストに大幅な増補・改訂がなされたのであるから、新規の「特認」を受ける条件を十分に満たしている。こうして、『エセー』は正式にパリの版元から上梓されることで、より広範囲の読者を獲得していく。なお、「第五版」と記載されていることに関しては、さまざまな議論があるが未解決である。

⑤一五九三年版『エセー』〔最新版〕（リヨン）。「最新版」と銘打っているものの、一五八八年版をコピーした海賊版で、「特認」もない。版元のガブリエル・ラ・グランジュは南仏アヴィニョンの書籍商だが、「リヨン、ガブリエル・ラ・グランジュ」として本書を上梓している。ランジュリエ書店は、法的措置を講じるべく、パリ高等法院に訴え出ている。

⑥一五九五年版『エセー』（リヨン、フランソワ・ル・フェーヴル）。「特認」はない。出版地はリヨンと記載されているが、実は、カルヴァン派の都市ジュネーヴで刷られた海賊版である。一五九四年、ジュネーヴの牧師評議会は、改革派の教義に沿った若干の修正をおこなうという条件で『エセー』の出版を認可、これは初めての改革派版『エセー』といえる。ただし事前検閲によって、性的な言及が多い「ウェルギリウスの詩句について」（第三

Extraict du privilege du Roy.

図5–1 『エセー』1588年版の「特認」

巻五章）など、合計十一章が削除されている。
⑦一五九五年版『エセー』（パリ、アベル・ランジュリエ）。グルネー嬢の尽力による「死後版」である。その「特認」を訳出しておく。

「国王の恩寵と特認により、パリ大学宣誓書籍商アベル・ランジュリエに対して、『モンテーニュ領主ミシェルのエセー、同著者により三分の一以上を訂正・増補』と題された書籍を、印刷させ、販売、小売りすることを許可する。それ以外の書籍商、印刷業者に対しては、上記ランジュリエの同意なくして、上記の著作を印刷し、あるいは印刷させ、販売、小売りすることを厳しく禁止する。その期間は、丸十年間とする。これに違反して印刷されたものが見つかった場合には、それらの書籍をすべて押収した上で、しかるべき罰金刑に処する。本書の巻頭ないし巻末に、本特認の抜粋を掲げて、特認本体に詳細に示されているような内容を、しかるべく伝えることを求める。パリにて。一五九四年十月十五日。署名。評議会により。ランブイエ」

④の「特認」の有効期間は九年であったから、失効寸前ということになる。そこで、

前回と同じく、大幅な加筆訂正によりテクストの面目を一新しているので、さらに「特認」を更新していただきたいというロジックにより、当局に「特認」を請求したと思われる。この策が功を奏して、ランジュリエ書店は十年間という長期の特認保護期間を獲得した。そして、一五九八年、一六〇〇年刊行の『エセー』にも、この「特認」を添えるのだった。かくして『エセー』は、ロングセラーの地位を獲得していく。

⑧一六〇二年版『エセー』（パリ、アベル・ランジュリエ）。ランジュリエは、「事項索引」付きの『エセー』新版を上梓して、再度、十年間の「特認」を獲得している。⑦の「特認」がまだ数年間は有効なのだが、「事項索引」という新機軸を打ち出して、早めに「特認」の延長をはかったのだろうか？　ランジュリエは、一六〇四年に再版を上梓しているが、これが最後のランジュリエ版『エセー』ーとなる。

なお、一六〇二年に「ライデン刊」と銘打って、実際にはジュネーヴで海賊版が出されていて、それにも「事項索引」が添えられている（出版の歴史をひもとくと、偽版の側がこの種のアイデアを思いついて、正規版の側がこれを登用する事例もある。この場合も慎重な調査が必要であろう）。

では、これをもって、『エセー』の独占出版権は切れたのであろうか？　実は、そうはならない。いかに『エセー』が好評であったかを、物語っている。

⑨一六〇八年版『エセー』(パリ)。このエディションは、五人の書籍商による共同出版である。巻末の「特認」を訳してみよう。

「国王の恩寵と特認により、パリ大学宣誓書籍商シャルル・スヴェストル、ミシェル・ニヴェル、クロード・リゴーに対して、『モンテーニュ領主ミシェルのエセー。先行する刊本に、特記すべきことがらの欄外における要約、詳細な事項索引、作者の伝記を増補せしもの』と題された書籍を、印刷すること、あるいは適当な者に印刷させることを許可する。そして、王国のすべての書籍商や印刷業者、その身分を問わず、いかなる者に対しても、上記スヴェストル、ニヴェル、リゴーの意志と同意なくして、上記の著作を印刷し、あるいは印刷させ、販売、小売りすることを厳しく禁止する。その期間は、丸七年間とする。上記の書籍商によらぬ刊本が見つかった場合には、それらの書籍を押収し、しかるべき罰金刑に処する。詳細は、特認に示す。一六〇八年五月二十三日、パリにて下付。評議会により。ベルジュロン」

五人の共同出版でありながら、「特認」を獲得したのが三人というのは、なにを物語るのだろうか？　このあたりの事情は不明というしかない。ランジュリエ書店が⑧で獲得した十年間の「特認」がまだ生きているのだから、二種類の「特認」が競合する状況が出来したことになる。こうした「特認」のダブルブッキングが、どれほど異例なのだろうか？　両者のあいだで（金銭の授受などを伴う）調整が行われたことが予想されるが、残念ながら真相は不明である。いずれにしても、⑨は、欄外の「小見出し」（図5−2）、「作者の伝記」といった、新しい要素を加味することによって、めでたく「特認」を入手したのだ。なお、「特認」では言及されていないものの、⑨は、モンテーニュの肖像が掲載された初のエディションとしても名高い。

ESSAIS
DE MICHEL
DE MONTAIGNE,
LIVRE PREMIER.
Par divers moyens on arrive à pareille fin.
CHAPITRE I.

図5−2　1608年版『エセー』第1巻第1章、欄外の「小見出し」

⑩一六一七年版『エセー』（パリ）。⑨の五人にもう一人を加えた、合計六人による共同出版である。ラテン語の引用にフランス語訳を添えたりすることで新味を出して、

編集にあたったグルネー嬢が十年間の特認を獲得し（一六一四年十一月二十八日）、これを版元に譲渡している。

⑪一六二五年版『エセー』（パリ）。ますます参画者がふえて、なんと十四人による共同出版で、『エセー』の人気がわかる。「国王の特認付き」とタイトルページにはあるが、「特認」は印刷されていない。その理由は不明。

⑫一六三五年版『エセー』（パリ、ジャン・カミュザ）。詳細は略すが、グルネー嬢から枢機卿リシュリューへの献辞が添えられた版として知られる。グルネー嬢は当初、『エセー』の真正なる姿を守るべく「永久特認」を願い出たものの却下されて、「正しい本に従って訂正を施した」等の理由によって、六年間の「特認」を獲得した。その後、「特認」の権利は版元カミュザに譲渡された。こうして、以後も『エセー』は「特認」付きで刊行されていくかたわら、さまざまな海賊版も出現することになる。

モンテーニュ『エセー』を例に、「特認」の変容をごく簡単に見てきたが、この出版独占権システムと絡み合うようにして、テクストの本体や付録が、あたかも接ぎ木のように成長をとげていくことがはっきりと見てとれる。

三　アン女王の「学芸奨励法」

繰り返しになるが、「特認」という出版独占権は、出版業者が保持するのが通例であって、著者の（経済的）利益とはかならずしも直結してはいない。たとえばイギリスでは、十六世紀以来、原則としてロンドンの書籍商ギルド（Stationers' Compagny）に加盟する印刷業者が、「複製の権利 rights in copies」をほぼ占有してきた。ギルドから、特定の本の「版権 copy」を獲得すれば、それが永遠に生きたという。そこで、和本の「版木」と同様に、「版権 copy」を譲渡したり、あるいは分け合ったりという現象も見受けられた。一方では国王が付与する「特認」も存在して、組合の「版権」と競合していたが、結局は、組合の「版権」も、国王という権力者からの付託を受けるような形で落ち着いたという。

こうした「版権」の根拠として、身体・生命・財産への権利は「自然権」だとしたジョン・ロックの思想が持ち出されたから、『統治二論 Two Treatises of Government』（一六九〇年）の有名な定式化を引用しておきたい。

大地と人間以下のすべての被造物はすべての人々の共有物 common であるが、しかしすべての人間は、自分自身の身体 person に対する所有権 property をもっている。これに対しては、本人以外のだれもどんな権利ももっていない。彼の身体の労働 labour とその手の働き work は、まさしく彼のものであるといってよい。そこで、自然が準備し、そのままに放置しておいた状態から、彼が取り去るものは何であれ、彼はこれに自分の労働 labour を混合し、またこれに何か自分自身のものをつけ加え、それによってそれを自分の所有物 property とするのである。そのものは、自然によって置かれた共有の状態 common state から、彼によって取り去られたものだから、この労働 labour によって他人の共有権 common right を排除する何かがそれにつけ加えられたことになる。

（ジョン・ロック『統治論』第五章「所有権について」宮川透訳、《世界の名著27　ロック、ヒューム》中央公論社、一九六八年、所収）

書籍商組合は、この自然権論を流用する形で、自分たちの版権は永久だと主張したのだった。もっとも、ロック本人は、そうした考え方に憤慨していたというからおもしろい。やがて、「文学的所有権」を法律で定めてほしいという書籍商組合の請願が実り、一七一〇年、世界初の著作権法といわれる、アン女王の「学芸奨励法 An Act for the Encouragement of Learning」が成立する。全十一条からなるこの法律（条文はインターネットで検索可能）の内容を簡潔に要約するのむずかしいが、これにより、作者、あるいは作者から権利を譲渡された者に対して、正式に印刷独占権が認められたのだった（その権利は、既刊については二十一年、新刊は十四年の保護を受ける。ただし作者が存命ならば、さらに十四年の延長が認められた）。ただし第九条には、既得権をそのまま認めるように読める文言も書かれているから、なにやら玉虫色の決着にも読めてしまう。なお注目すべきは、第五条で王立図書館、オックスフォード、ケンブリッジなど、九点の納本を義務化した「納本制度」が規定されたことだ。

しかしながら、保護期間が切れる一七三〇年前後から、「コピーライト」をめぐる議論・せめぎあいが再び激しくなってくる。さまざまな裁判沙汰が引き起こされるが、総じて目立つのは、書籍商組合と、それ以外の新興書籍商との係争であって、「作者」は依然として蚊帳《かや》の外という感が否めないのである。

事実、歴史的に見るならば、著作権は書籍商から作者へと徐々にシフトしつつあったにもかかわらず、こうした権利意識に無頓着な著作者も多かったのだ。とりわけ貴族階級に属する作者の場合は、「名誉」こそが求めるべきものであって、「文学と金銭」（第九章を参照）という問題を象徴するところの「著作権」に関して、積極的に行動することは稀であった。彼らは、旧来の「パトロン制度（パトロネージ）」という枠組のなかで思考し、ふるまっていた。

四　手紙と著作権

そうした状況のなかで、リンネル商人の息子として生まれ、身体障害者で、独学で古典を学び、しかもカトリックというアウトサイダーであったアレグザンダー・ポープ（一六八八－一七四四）の独自のふるまいが参考になる。この古典派詩人は、「パトロン制度（パトロネージ）」から脱却して、きわめて自覚的にふるまったのである。彼は親友で高等法院王座裁判所長官のマンスフィールド卿というよき指南役を得て、数多くの著作権裁判にかかわり、未踏の領域に関する問題を突きつけていった。直接、間接に、幾度となく裁判に関与しているものの、なかでも画期をなしたのが、ロンドンの出版業者エドマンド・カールとのあいだの「書簡裁判」（一七四一年）にほかならない。「著作権」とは「作者」に帰属すべきものであることを決定づけ、その後の英米の著作権法に基礎を提供することとなった、この裁判を追いかけてみよう。

事件の発端は、カールが出版した『スウィフト文芸書簡集』（一七四一年）にあった（図5―3）。ここにはポープ本人が『ガリヴァー旅行記』の作者ジョナサン・スウィフト（一六六七―一七四五）と交わした書簡も収録されていた。ところがポープは、自分の著作集にも、スウィフトとの往復書簡を収録したのである。「悪漢カールが、書簡を略奪したのです。それは、わたしの版をなかば台無しにしかねませんでした」、彼はのちにこうふり返っている。詩人は、自分が編んだ書簡集の序文で、手紙を勝手に公刊することを「裏切りの会話」と呼んで、こう書いている。「他人の手紙

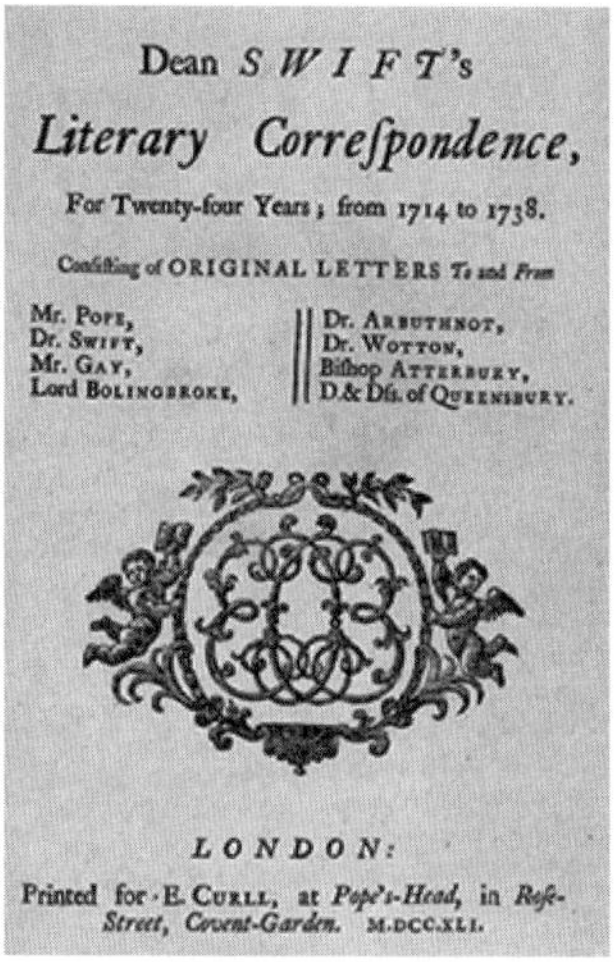
Dean *SWIFT*'s

Literary Correſpondence,

For Twenty-four Years; from 1714 to 1738.

Confiſting of ORIGINAL LETTERS *To* and *From*

Mr. Pope, Dr. Swift, Mr. Gay, Lord Bolingbroke, Dr. Arbuthnot, Dr. Wotton, Biſhop Atterbury, D.& Dſs. of Queensbury.

LONDON:

Printed for E. Curll, at *Pope's-Head*, in *Roſe-Street*, *Covent-Garden*. M.DCC.XLI.

図5―3 『スウィフト文芸書簡集』（ロンドン、1741年）

を開封することは、大いなる名誉毀損にほかならない。開封済みの手紙を、あるいはなにかの拍子に落ちてしまった手紙を覗くだけでも、不道徳なふるまいではないとしても、卑怯なふるまいだとされている。ならば、不正手段によって手紙を入手し、もっぱら金もうけのためにそれらを印刷する行為を、どう考えればいいのか。法律がいまだに適切なる救済方法を定めていないというのなら、いよいよ悪質さを増すこうした行為を防ぐために、少なくともひとつの処方が示されるべきことを、誠実な人間ならばだれしも願うにちがいない」

ポープは、出版業者が個人のプライバシーを侵害したことに怒りを感じて、販売差し止めを求めて提訴する。いや、プライバシーという観念はまだ明確ではなかったであろうから、スウィフト宛の自分の手紙二十九通を、書き手の同意なくして公刊したのは、著作権の侵害だという理屈なのであった。告訴文は先ほどのマンスフィールド卿が起草したともいうが、いくらなんでも、王座裁判所長官にそうしたことは許されないだろうから、職を辞してのちの話かと思われる。そして、この裁判にはもうひとつ興味深い論点がからまっていて、ポープはスウィフトからの来信の公刊についても、カールに対する出版禁止命令を求めたのだ。自分が編んだ往復書簡集の商品価値がおとしめられることを危惧して、こうした請求をおこなったわけだから、やや身勝手だといえなくもない。

さて、受けて立つ手練《てだ》れの出版業者エドマンド・カールはどうしたか。当然ながら、手紙の所有権を持ち出して反論をおこなう。しかも手紙はダブリンでジョージ・フォークナーが出版したエディションの復刻にすぎないのであって、最初にアイルランドで公刊された出版物をイングランドで復刻するのは、なんら法に抵触するものではないと反駁した。実をいうと、アン女王の「学芸奨励法」は、イングランド、スコットランドには有効であっても、アイルランドには適用されないのだった。このあたりの事情は、わが国の著作権法における、「違法サイト」からの意識的なダウンロードを「私的使用のための複製」として認めるか否かといった議論のはるか昔のルーツのように思われて、とても興味深いではないか。

それればかりではない。なんとも面妖なことに、問題のダブリン版には、ポープ本人が関与していたらしいのだ。詩人は、自分の編んだロンドン版を問題なく出すべく、それに先んじてダブリン版という既成事実をみずから作り出していたという。それなのに訴訟とは、これはまた、ちゃっかりした御仁だというしかない。とにかく、著作権を無視して、一旦アイルランドで出版してしまえば、その後、ロンドンで出してもなんのお咎めもないというのが実情であったようだ。別に驚くにはあたらない。「文学ならびに美術的制作物」の権利保護を目的とした「ベルン条約」が批准されるのは一八八六年、まだ百五十年も先の話なのだから。

では、この「書簡裁判」、いかなる判決が下されたのか。その主文を翻訳しておきたい。

第一の問題は、印刷本の原稿［ここでは手紙本体のこと］を、その書き手あるいは、その原稿［手紙本体］の取得者 purchasers に帰属させると見なせば、手紙なるものも、アン女王治世の八年目に出された《学芸奨励法》の適用範囲内に含まれ、その趣旨に添うものなのかということである。

手紙の作者、あるいは手紙の受取人 receiver によって刊行されたところの書簡集なるものと、ほかの著作物とを別物として扱うのは、この上なく有害なことと考えられる。

また、作者は出版されるとは少しも考えていなかったと思われるのに、不正確な記録などを寄せ集めて、死後に出版されてしまう説教集といったものに関しても、同様の反論が成り立つであろう。

被告側の弁護団からは、手紙を書き送ることは、受取人への贈与という性質を帯びているのだとの反論が提出された。しかしわたしは、それは受信人にあっては、特殊な所有権にすぎないものと考える。すなわち、紙の所有権は受取人に所属するかもしれないものの、だからといって、手紙をもらったいかなる人間にも、それを公刊する許可が与えられたということにはならない。なぜならば、受取人はせいぜい、書き手との共同の所有権を有するにすぎないのだから。

第二の問題は、アイルランドで最初に印刷された本は、ここ［イングランドあるいはロンドンということ］の書籍商にとっては「合法的な捕獲物」かどうかということである。もしもわたしがそのように考えるべきだとすると、これは非常に深刻な結果を招くことになろう。というのも、その場合には、ある本の印刷されたコピーを入手した書籍商は、それをアイルランドに送って印刷させれば、ことは簡単ということになってしまう。そして、自分はこれをイングランドでリプリントしただけなのだと言い張れば、法令を完全に免れることができてしまうではないか。

また弁護側は、この書簡集は、《学芸奨励法》の趣旨に収まるような著作物ではないと強く主張した。くだけた内容の手紙を収録したにすぎず、友人たちの健康を気づかうといった体のものであって、学問的な著作とはとても呼べないものなのだからというのである。

しかしながら、内輪のことを話題にした、このような形の著作物ほど、人類に奉仕してきたものはないことは確実である。それらはおそらく、公刊されることなどをいささかも意図していなかったにちがいなく、それゆえに、非常に貴重なものなのである。というのも、わたしとしては個人的な気持を告白すべきかとも思うのだが、十分に練り上げた文章で綴られ、最初から公刊を目的としたような書簡なるものは、一般的にはもっとも無意味なものであって、だれが読んでも、あまり価値のないものではないだろうか。

裁判所長官により、当該著作のなかで、ポープ氏の名前のもとに、つまりポープ氏が書いた書簡について、公刊禁止命令が継続されるものとするが、ポープ氏宛の書簡についてはそのかぎりではない。

「紙の所有権は受取人に所属するかもしれないものの、だからといって、手紙をもらったいかなる人間にも、それを公刊する許可が与えられたことにはならない」という個所が、この判決の本質をなしている。手紙という紙は、受け取った者の所有物かもしれないが、そこに書かれたテクストは、あくまでも書いた人間に帰属するというのだ。したがって、ポープに対しても、ポープが書いた手紙の公刊差し止めは有効だとした一方で、スウィフトからの来信をポープが勝手に公刊することを認めなかったのである。また、アイルランドで最初に出版されたという既成事実を口実として、イングランドで出版する行為が、「合法的な捕獲物 lawful prize」に相当するものとはならないとされたことも、注目に値しよう。

この歴史的な裁判を通じて、それまではもっぱら書物などのモノに帰属していた著作権概念が紙面からの離陸をはたして、物質とは直接的に結びつくことのない権利概念が形成されたといえよう。この訴訟により、仮に相手方に渡っていても、手紙の著作権はその書き手に帰属するというルールが確立されて、英米法では常識となったのである。著作権とは「本」などのモノにではなく、「テクスト」に付与されるべき権利であることが明確になったことは、今日から見れば当然とはいえ、当時としては画期的なできごとであった。一方、日本においては、こうした問題の裁判での提起はずっと立ち遅れていて、二十世紀末にも訴訟沙汰となっているのである（第十二章を参照）。

◉第六章

出版と「検閲」について

一　印刷術という両刃の剣と「検閲」

「焚書坑儒《ふんしょこうじゅ》」というふるまいがある。強大な権力を持った為政者や宗教指導者が、自分の意に沿わぬ書物を検分して、著者ともども焼き捨ててしまうことで、洋の東西を問わず、昔からしばしば行われたにちがいない。「焚書坑儒」という熟語は『史記』に記された秦の始皇帝の思想弾圧に由来するから、こうした行為を「検閲」の果ての暴挙だという風にとらえるならば、「検閲」の歴史は紀元前にさかのぼることになろう。けれども、「検閲」が重要な問題として浮上してくるのは、なんといっても、「印刷術」という大量複製技術が誕生してからの話である。

ヨーロッパの場合、印刷術は十五世紀の半ば近く、ライン川左岸の宗教都市マインツで実用化された（グーテンベルク、フスト、シェーファーらの尽力による）。ところが一四六二年に、思いがけない事態が発生する。大司教アドルフ二世によってマインツは占領され、その自治権を奪われてしまうのだ。その結果として、印刷職人たちは新天地を求めて、ヨーロッパ各地に散っていく。ローマでも一四六四年頃、ドイツ人技術者の手によって、最初の活字本が出現している。この新技術に注目した教皇パウルス二世は、いち早くその導入を決定して、一四六八年には『聖ヒエロニムス著作集』が出版される。教皇に捧げられた「献辞」にはこうある。

学芸の世界とキリスト教の世界が、教皇猊下にどれほど感謝いたすことになるか、計り知れないものがございます。いとも貧しき者たちに、わずかな出費で書物を所有する可能性を、二十エキュも出せば、正確なテクストを購入する可能性を与えたことは、猊下にとって大いなる栄光となりましょう。何しろ従来は、百エキュ出しても、写字生による間違いだらけのテクストを入手するのが関の山であったのです。

とはいえ、印刷術は両刃の剣なのだった。正しい教えを迅速かつ効率的に広めることができる反面、都合の悪い思想や反対意見も、この新しい複製技術を用いてあっというまに蔓延してしまうかもしれないではないか。そういったわけで、一四八七年には、ローマ教会による活字本「検閲」の萌芽ともいえる事例が見られる。この年、教皇イノケンティウス八世は、活字本発祥の地であるマインツ司教区における書物の流通にたいして規制をするべく命令を発しているのだ。そして一五一五年の第五回ラテラノ公会議でも、同様の方針が確認されたものの、全ヨーロッパ的なシステムはまだ備わっていない。各地域の教会の責任において「検閲」を行うという状況が、トリエント公会議（一五四五－六三）あたりまで続くのである。

では、フランスの場合はどうであったか？　パリ大学神学部（通称「ソルボンヌ」）が、「検閲」を担っていた。とはいえ、たとえ神学者たちがこれこれの書物は異端だと判断しても、いざ対応を実行するとなると、聖職者のヒエラルキーの上部には司教がいるし、司法の場には「高等法院《パルルマン》」が存在した。そしてもちろん、国王と宮廷官僚たちも控えている。しかも、これら聖と俗の諸権力は、かならずしも「検閲」に対する考え方において一致していたわけではなかった。したがって、「検閲」、「異端裁判」、「処罰」といったプロセスがかならずしもスムーズに運んだわけではない。

さて、マルティン・ルターの宗教改革が、フランスにも大きな影響を及ぼし始めた一五二一年の三月、パリ高等法院は、神学書の出版に際しては、あらかじめパリ大学神学部の検閲を受けるべきだとの法令を出す。すると四月にはパリ大学神学部がルターを異端者と認定して、八月にはルターの著作を一週間以内に高等法院に提出すること、違反した場合は処罰するとの命令を出し、矢継ぎ早に対策を打ち出していく。こうした状況で、アリストテレスやプラトンの注解や抄訳などで知られるユマニストで、フランスにおける福音主義運動の支柱となったルフェーヴル・デタープル（一四五〇あるいは五五－一五三六）の著書も「禁書」に指定される。しかしながら、ルフェーヴルの学識・才能を愛していた国王フランソワ一世は著作の再調査を命じると、その結果を受ける形で、ルフェーヴルに対する高等法院への告発を撤回させている。この頃には、王権は高等法院やソルボンヌとは対立しがちだったのである。

ちなみに、このルフェーヴル・デタープルは『フランス語訳新約聖書』（一五二三年）を完成させるも焚書となって、シュトラスブルク（ストラスブール）に亡命する。しかしながら、パヴィアの戦い（一五二五年二月）でスペインで捕虜となっていたフランソワ一世が、一五二六年に帰国をはたすと、彼を呼び戻してブロワ城の司書として庇護するのだった。そして一五三〇年、完成した『フランス語訳聖書』は、国外の都市アントウェルペンで出版される。その後、このユマニストは、フランソワ一世の姉で改革派シンパ、また物語集『エプタメロン』の作者でもあるマルグリット・ド・ナヴァールの南仏の宮廷で晩年を過ごすことになる。

二 「檄文事件」、「納本制度」

一五三四年十月、フランスでは有名な「檄文事件」が起こっている。カトリックのミサ聖祭を否定するビラがスイスで印刷されて、フランス国内に持ち込まれ、ばらまかれたのである（国王の寝室の扉にも貼られたと伝えられる）。翌年にも、同様の事件が再発して、激怒したフランソワ一世は、「沙汰あるまで王国内での出版をいっさい禁止する」と命じる（まもなく、解除されたのだが）。「檄文事件」をきっかけとして、国王の態度も硬化したし、ソルボンヌが思想統制のヘゲモニーを握るようになる。福音主義者として、ヘブライ学者の助けを借りて旧約聖書の「詩編」を仏訳したせいでソルボンヌ当局に睨まれていた宮廷詩人クレマン・マロは出頭命令を受けると、マルグリット・ド・ナヴァールの宮廷を経て、北イタリアのフェラーラに逃亡する（フランス王家から嫁したルネ・ド・フランスが改革派の同調者で、庇護者の役割を担っていた）。リヨンで『パンタグリュエル』『ガルガンチュア』という、カトリック教会への風刺をたっぷりと含んだ物語を出したラブレーもまた、一五三五年には、リヨン市立病院の医師の職を放り出して姿を消してしまうのだった。

やがて一五三七年、フランソワ一世は、次のような王令を出す。

すべての印刷業者・書籍商は、王国内で印刷されたいかなる書物についても、一部を書物監督官に収めた後でなければ、販売に供してはならない。また、外国よりもたらされた書物の場合、その旨を通告してからでなければ、販売してはならない。

こうしてフランスは、いわば「法定納本」を世界で最初に定めた国家となったのだが、この「納本制度」には二つの目的があった。ひとつは、写本や美術品の大コレクターであり、晩年のレオナルド・ダ・ヴィンチをイタリアから招聘し、また「コレージュ・ド・フランス」の前身を創設した国王フランソワ一世による、文化政策の延長としての刊本収集システム構築という側面である。少なくとも国王個人としては、王室図書館の充実を願って、この王令を出したと思われる。

納本システムのもう一つの目的が、出版物の統制・管理にあることはいうまでもない。でも、よく考えれば、「検閲」されるとわかっていて、わざわざ好きこのんで「危険な書物」を「納本」するはずもない。なるほど、「納本制度」によって首都パリには睨みがきいたかもしれないけれど、結局は、こうした締め付けが、非合法出版あるいは国外での印刷を後押ししたことも否定できない。この制度の実効はさして上がらなかったともいう。ともあれ、「納本制度」には、文化の保護と思想統制という光と影があるのだ。

ちなみに現在のフランスでは、書物・新聞・雑誌はもとより、版画・ポスター・写真から、映画、レコード、CD、さらにはゲームソフト等々に至るまで、「文化的な複製物」は、ことごとく国家に納入する義務が課せられている。書物の場合は、「フランス国立図書館」に二部を納めるのが規則で、そのうち一部は国家による買い取りとなっている。

三　不寛容の時代へ、『禁書目録』の出現

一五四〇年代、フランスは不寛容な時代に突入する。その象徴が、南仏の山あいで

ひっそりと暮らして信仰を守ってきたヴァルド派に対する、一五四五年の大弾圧であろう。メランドール村などで大虐殺が起こり、生き延びた人々はアルプスを越えて北イタリアに逃れる。アオスタの谷間では現在もヴァルド派の伝統を守る人々が暮らしており、ヴァルド派の教会や学校があるし、大きな博物館があるが、片や、南仏にはメランドールに小さな記念館があるのみでヴァルド派の面影はほとんど残っておらず、根絶やしにされたことがわかる。

この時代になると、「危険な書物」も増加して、もはや個別の対応は困難となり、発禁にすべき著作のリストを作成しようという機運が高まる。こうして一五四三年、パリ大学部神学部によって（手書きの）「禁書リスト」が作成される。全六十五タイトルのうち、フランス語の刊本が四十三点を占めている。しかも、そのうちの二十七点がジュネーヴで刷られた書物であった。カルヴィニズムの浸透をいかに恐れていたか想像がつく。それは、一旦は追放されたジュネーヴに請われて一五四一年に復帰したカルヴァンが、いよいよ本格的な宗教改革に着手した時期に当たる。「禁書リスト」に、カルヴァンの『キリスト教綱要』仏訳版（一五四一年）が含まれていることはいうまでもない。そのほか、クレマン・マロ仏訳の旧約聖書『詩編』やラブレーの《ガルガンチュアとパンタグリュエル》がブラックリストに載っている。

クレマン・マロは、ヴェネツィアから、国王にわびを入れる「書簡詩」を謹呈して、ようやく帰国をはたして宮廷に復帰したものの、そんな本人の気苦労などは差し置いて、マロ訳の『詩編』は、ジュネーヴやアントウェルペンで勝手に出版されて、禁書に指定されてしまう。ここに至ってマロは亡命を決心すると、旧知カルヴァンが君臨するジュネーヴに身を移して、『詩編』の翻訳を進めていく。後に、これが増補改訂されて、音楽が付けられ、いわゆる『ユグノー詩編歌集』(一五六二年)という賛美歌集になるわけだが、不羈独立の精神が強いマロ自身はカルヴァンとは折り合えず、またしてもイタリアに逃れ、一五四四年にトリノで客死する。

ところで、「禁書リスト」が作成されれば、次のステップとしてこれを印刷出版して公衆に周知徹底をはかるべきだという意見が出てくるのも、きわめて自然な流れであろう。とはいえ一方では、「危険な書物」のリストをおおやけにすることで、かえって宣伝になってしまうという危惧も表明されている。この種のリストの公表にはつきものジレンマである。だが最終的に、パリ大学部神学部は、ローマ教皇庁に先がけて『禁書目録』の印刷出版に踏みきるのだった。『禁書目録』の正式のタイトルは『パリ大学神学部の検閲により発禁となった書物の目録』で、フランス語百二十一点、ラテン語百十二点と、合計二百三十三点がリストアップされている（図6−1）。「大学宣誓書籍商」（写本時代からパリ大学の傘下にあり、メンバーは二十四人）の筆頭格ジャン・アンドレ書店から刊行されたのだけれど、身内ともいえる「大学宣誓書籍商」たちからも、目録作成に対してクレームがついたという。売れる本もたくさん含まれているし、多くの在庫も抱えているのだから、リストを訂正してほしいというのだ。「大学宣誓書籍商」たちは、外国からの書籍の輸入も許可してほしいと抗議までしている。念頭にあるのは、カルヴァンの牙城ジュネーヴなどの出版物であって、かなり割高な輸送費という経済的なリスクをおかして「危険な書物」を取り寄せても、十分に採算が見込めるほどに、顧客のマーケットも広がり、多様化していたことを暗に物語っている。

Le Catalogue
DES LIVRES CENSVREZ
par la faculté de Theologie de Paris.
Avec privilege.
On les vend à Paris, en la grand salle du Palais, au premier pillier, par Iehan André libraire iuré de luniuersité de Paris.
1544.

図6−1　パリ大学神学部による『禁書目録』（1544年）のタイトルページ

ところで、『禁書目録』というと、リスト入りした本はどれもご禁制だと考えがちだが、そこには微妙なニュアンスが存在する。カルヴァン『キリスト教綱要』は、完全な発禁処分であった。その一方で、いわばグレーゾーンの著作もあり、発禁となった場合でも、いわば検定意見を受け入れて修正をほどこした版ならば発売が許された。たとえばラブレーは、改訂版に際してストレートな罵詈雑言を和らげるなどして「自主検閲」もおこなっているのだ。「発禁」といっても、さまざまなレベルが存在したことを銘記しておきたい。

四　一五四四年の『禁書目録』を読む

では、一五四四年の『禁書目録』を具体的に見てみよう。合計二百三十三タイトルと、手書きの目録の四倍以上がブラックリストに載せられた。目録は、「著者名があるラテン語著作」、「著者不明のラテン語著作」、「著者名があるフランス語著作」、「著者不明のフランス語著作」、「聖書関係の翻訳」という五部構成である。そして著者が特定されている書物は、著者名のアルファベット順に、著者不明の書物は、タイトルのアルファベット順に並んでいる。

まずは、ラテン語著作部門のあるページを開くと、Cがカルヴァン、Dがエティエンヌ・ドレ、Eがエラスムスと、「危険な書物」分野の大物が並んでいるではないか。カルヴァンは『キリスト教綱要』など三点が、ドレが二点、エラスムスは次のページにまでわたり、『キリスト教戦士綱要（エンキリディオン）』『痴愚神礼讃』『対話集』など十二点が掲載されている。リヨンで出版業に参入し、かつては国王フランソワ一世から、自著などすべての出版物について、年限なしという、異例の「特認」を獲得したエティエンヌ・ドレも、この二年後には、異端の罪により、パリのモーベール広場で著書とともに火あぶりにされる。（なお、ドレは一九世紀になって「自由思想」の先駆者として復権をはたして、モーベール広場には銅像が立てられたものの、第二次大戦中に破壊された。その銅像は、画家アンリ・ルソーの《平和のしるしとして共和国に挨拶に来た、諸大国の代表者たち》（パリ、ピカソ美術館所蔵）や、アンドレ・ブルトンが『ナジャ』（一九二八年）に収めた写真で見ることができる）。また、マルティン・ルターの項目では、わざわざ「異端創始者 haeresiarca」と付け加えてから、二十点以上の著作が列挙されている。

次に後半のフランス語部門に移ろう。カルヴァン七点、ドレ六点（著書ではなく、聖書関係の出版物が含まれている）、エラスムス三点（ドレが刊行した『キリスト教兵士提要』仏訳も含まれている）、クレマン・マロ一点などとなっている。

最後に、「作者不明のフランス語書物の目録」を一瞥してみたい。C項目の最後には、デ・ペリエの『キュンバルム・ムンディ』(一五三七年)が記載されている。この奇書は発禁となって処分されたのか、初版はただ一冊、一五三八年のリヨン版も二冊しか残されていない。Gの項目には、《ガルガンチュアとパンタグリュエル》が記載されているが、『偉大なガルガンチュアとディプソード国王パンタグリュエルの、大年代記ならびに正真正銘の武勲、そして驚くべき手柄』というタイトルから推して、リヨンのピエール・ド・トゥール書店版とされている。「作者不明」のカテゴリーに分類されていることに疑問を抱く向きもあるかもしれないが、この時期にはラブレーはまだ、「アルコフリバス師 M.Alcofribas」というペンネームを用いているのである。

またS項目に、Les simulachres de la mort(死に神の幻影)というタイトルが出てくることも注意を引く。これは、バーゼルの画家ハンス・ホルバインの挿絵が入った『死の舞踏』のフランス語版(リヨン、フレロン兄弟刊、一五三八年)にほかならない。その挿絵はともかくとして、慈善組織「リヨン大施物会」の推進役でもあったジャン・ド・ヴォーゼルによる福音主義的な文章が災いして、一五四二年の再版から「危険な書物」に分類されたと思われる。

全体としていえるのは、当然とはいえ、聖書関係の書物が中心であることだ。これとは逆に、いわゆるフィクションは、ラテン語だとエラスムスの『痴愚神礼讃』や『対話集』、フランス語ならば《ガルガンチュアとパンタグリュエル》と『キュンバルム・ムンディ』ぐらいしか見あたらないのは、意外ではないだろうか?

五　「特認」という避雷針

フランソワ・ラブレー(一四八三―一五五三)は、不寛容の時代の到来をいち早く見てとって、一時期はフランス東部に身を潜めたが、その後は有力者の庇護を受けて、侍医という資格でローマにも幾度か滞在している。とはいえ、『パンタグリュエル』も『ガルガンチュア』も、けしからん内容だとソルボンヌに厳しく非難されたわけで、文学的営為に関しては、一五三五年からの十年間は空白期間となっている。やがて、満を持して続編を出す。今度は、以前のように「アルコフリバス・ナジエ Alcofribas Nasier」というペンネーム(François Rabelais のアナグラムだった)ではなく、「医学博士フランソワ・ラブレー先生作」と実名を名乗って、『第三の書』(一五四六年)を世に問うのだ。おまけに、自由都市リヨンではなく、権力のお膝元パリの書店から出そうというのだから、大胆ではないか。そこで、彼は「特認」という予防措置を取ろうと考えた。「著作権」の前身である「特認」（第五章「著作権前史」を参照）は、出版人・著者・翻訳者などに、年数を限って出版独占権を付与するものだが、その発行人は国王である場合が多い。ラブレーが獲得した「特認」もそうだ。少し長いけれど、読んでみよう。

国王の特認

神の恩寵によりフランス国王である、フランソワ［フランソワ一世のこと］より、パリ市長、ルーアン市代官、リヨン、トゥールーズ、ボルドー、ポワトゥーの諸奉行、そして、その他の司法・警察関係者、あるいはその代理官など、しかるべき役職の者に、申しわたす。

われらが親愛にして、忠実なる、モンペリエ大学医学博士フランソワ・ラブレー氏より、次のような申請があった。嘆願人《シュプリアン》は先に、味わいも深くて、役にも立つ、『パンタグリュエルの英雄的な言行録』二巻［『パンタグリュエル』と『ガルガンチュア』のこと］を初めとして、いくつもの書物を上梓している。ところが印刷人たちは、こうした著作を何個所にもわたって、改竄《かいざん》して、歪めてしまい、上記嘆願人には不利益や損害を与え、また読者にも迷惑をかける仕儀となって、その結果、嘆願人は、上記『英雄的な言行録』の続編を公刊することを自重することとなったという。しかしながら、わが王国の、教養もあり、熱心なる人々より、上記作品の続きを印刷公刊して役立てていただきたいと、日々、催促を受け、求められてきたというのである。

そこでラブレー氏は、印刷を任せるつもりで、自身の真正なる原稿《コピー》を手渡した書籍商以外には、何人《なにびと》にも、作品を印刷・販売してほしくないとの思いから、余《よ》に特認の下付を願い出たという。申請の期間は、上記各著作の刷了の日から起算して、一〇年間ということであった。

そこで、以上の事情を勘案し、かつまた、王国全土にわたり、文芸《ボンヌ・レットル》が、余の臣民たちの実益《ユティリテ》と教養《エリュディシオン》にまで高められることを願って、余は、上記嘆願人に対して、『パンタグリュエルの英雄的な言行録』なる著作の続編につき、その第三巻以降に関して、嘆願人が認めた、経験豊富な書籍商に、印刷・販売させる旨の、特認、許可、許諾、許可状を、与えるものとする。また同時に、嘆願人がすでに執筆した最初の二作品〔『パンタグリュエル』と『ガルガンチュア』〕については、校閲・訂正をほどこし、これを新たに、印刷・刊行する場合にも、特認を付与するものとする。そして、これ以外の印刷業者に対しては、上記の著作を、上記嘆願人の意思と同意なくして、印刷・販売することをかたく禁じ、これに違反した場合は、かならず、重罰として、印刷したる書物の没収と、司法の裁量による罰金を命ずるものとする。その期間は、上記の著作刷了の日より起算して六年間と定め、これに違反した場合は、印刷した書物を没収し、しかるべき罰金を申し渡す。

ついては、司法関係者、上級下級の役人など、関係各位に対しては、本状による許可、特権、指示を、上記嘆願人が、これを心おきなく享受・行使できるように、このことが厳守されるように取りはからうことを命じるとともに、これを委任し、その上での権限・権威を与えるものとする。よきにとりはからわれたし。

主の年一五四五年、わが治世の第三一年、九月一九日、パリにて下付。

審議官《コンセーユ》ドロネーにより署名。黄色の蠟により封印。

（ラブレー『第三の書』宮下志朗訳、ちくま文庫）

テクストを改ざんした「偽版」により迷惑をこうむったことを理由として、『第三の書』のみならず、既存の作品にも、さらには続編についても、一括して出版独占権が「作者」に付与されている。要するにラブレーの全作品について、国王がお墨付きを与えるというのだから、これは特別待遇といえよう。ラブレーは、フランソワ一世と神聖ローマ皇帝カール五世（スペイン王としてはカルロス一世）との「エーグ＝モルト会談」（一五三八年七月）にも列席している有力者でもあった。そこで、国王に働きかけて、この強力な「特認」を、いわば「避雷針」として添えたに相違ない。国王名義の出版独占権である「特認」が付されていれば、たとえそれが「危険な書物」であるとしても、おいそれと著者を逮捕したりできるものではない。パリ大学神学部などによる非難や攻撃を、それなりに牽制する効果はあったにちがいない。

作者は念には念を入れたのか、王姉マルグリット・ド・ナヴァールに十行詩を捧げて、巻頭に掲げているが、これはかなり挑発的なふるまいでもある。王姉は改革派の支持者として、改革派のシンパを宮廷で保護、カトリック保守派から敵視される存在であったのだから。

では、この「特認」は、本当に有効な避雷針となりえたのだろうか？　そうは問屋が卸さなかった。一五四六年末、ソルボンヌは禁書目録の増補版を作成して、そこに『第三の書』をリストアップするのである。「特認」の期間は六年間となっていたが、偽版を防ぐことができたのだろうか？　これまた、そうはいかなかった。明らかな偽版が存在するし、勝手に「特認付き」と銘打った版もあった。いつの時代も、贋物作りの手口とは似たようなものなのである。

六　「シャトーブリアンの王令」と出版人・職人の亡命、ジュネーヴの「検閲」

一五四七年、フランソワ一世が死去して、息子のアンリ二世が即位する。前者は良くも悪くも優柔不断なところがあったが、後者はちがった。即位して間もなく、異端や金融不正を専門に扱う悪名高い「火刑裁判所」（正式名は「特別法廷」）が設置されて、内外の聖書に関する書物は、パリ大学神学部の「検閲」を経ないと、印刷・販売できないことになった。そして一五五一年六月の「シャトーブリアンの王令」全四六条によって、思想信条を締め付ける条項が補強された。ここでは出版関係の主な項目を、要約しておきたい。

第六条：ジュネーヴなど、改革派地域からの書物持ち込みの禁止。
第七条：禁書を印刷・販売、あるいは在庫として所持することの禁止。
第八条、九条：地下出版の禁止。
第十条～十四条：聖書の翻訳・注解などに関する、パリ大学神学部（ソルボンヌ）の事前検閲の細目化（たとえば、ソルボンヌの証明書なくして、高等法院が「特認」を出すことなどが禁じられた）。
第十五条：書籍商は、ソルボンヌが派遣した二名の係官の前で、仕入れた書物の梱の封を切ること。
第十六条：上記係官は、年に二回、全書籍商を査察すること。
第十七条：リヨンにおいては、「異端の疑いが濃厚な諸外国」からの書籍の輸入がとても多いから、査察は年に三回とすべきこと。
第二十条：印刷工房や書籍商は、禁書目録ならびに在庫本のリストを常備すべきこと。
第二十一条：ジュネーヴなどから禁書を持ち込んで、売りさばく行商人が多数いることから、行商人に対しては、書籍の販売をいっさい禁止する。

この王令では、二つのことがらに力点がおかれている。第一に、パリ大学神学部が、王権や高等法院を差し置いて、異端か正統かを判断する権限を決定的に握ったことだ。ドミニコ会士の異端審問官マテュー・オリーが、その指揮にあたった。とはいえ、かならずしもパリ大学神学部の思惑どおりに事が運んだわけではないことに注意したい。ラブレーの庇護者ジャン・デュ・ベレー枢機卿、ユマニストで和平派の大法官ミシェル・ド・ロピタル、改革派シンパの高等法院判事アンヌ・デュ・ブール（一五五九年に、異端として火刑に）といった人々がいて、ソルボンヌの暴走を食い止めようと努めていた。

本王令の第二の目的は、ジュネーヴからリヨン等への「危険な書物」の流入を阻止することだった。行商人に書籍の扱いを禁じることで（第二十一条）、ジュネーヴ＝リヨンという異端思想の流通ルートを遮断しようとしたのである。とはいえ、需要があれば商売はすたれることはない。危険をおかしてでも国境を越えて禁書のたぐいを持ち込む、運び屋の組織が生まれていく。

第二十条の「禁書目録」を常備せよという命令を受けて、新たな『禁書目録』も刊行された。「危険な書物」は合計三百九十二タイトル（ラテン語が二百六、フランス語が百八十六）と膨大なものにふくれあがっている。そして一五五六年には、パリ大学神学部が主導した最後の『禁書目録』が作成され、新たに百三十六タイトルが発禁処分とされる（ラテン語七十二、フランス語六十四）。それ以後は、ローマ教皇庁が『禁書目録』を一括して管理・作成することとなり、各国の禁書リストを引き継ぐ形で、一五五九年に最初の『教皇庁禁書目録』がローマで刊行されるのであった。

いずれにしても、フランスにおける『禁書目録』でもっとも目立つのは、世俗語つまりフランス語のテクストが、一貫してほぼ半分を占めている事実ではないだろうか。この時期、同じくカトリックの牙城であったルーヴァン大学を擁するルーヴァン（一五四六年など）、ヴェネツィア（一五四九年など）といった都市でも、『禁書目録』が作成されているものの、その中身は圧倒的にラテン語の書物なのである。

ところで、『禁書目録』は冊子だけではなくて、ポスターのようなものも印刷されたらしい。ここでは詳説する余裕はないが、フランスからアントウェルペン（アントワープ）に移住して出版業を立ち上げ、ヨーロッパ随一の印刷・出版工房へと導いた――最盛期には十六台の印刷プレスが動き、七十人以上の職人が働いていた――クリストフ・

プランタン（一五二〇頃－八九）は、スペインから派遣されたネーデルラント統治官の命令を受けて、当人としては不本意ではあったものの、一五六九年に『禁書目録』を印刷している。その際、ポスター版も作成しており、世界文化遺産となったプランタン＝モレトゥス博物館に一部だけ残されている。それを見ると、二枚を貼り合わせて大判のポスターにしてあることがわかる。書籍商は、こうしたポスターをこれ見よがしに掲示したり、『禁書目録』を目立つところに置いたりして、ご禁制のものは扱っていないことを誇示していた。そして、その裏でこっそりと「危険な書物」を商っていた店がけっこう見られたことも判明している。

「シャトーブリアンの王令」をきっかけに、首都パリからジュネーヴに逃れる印刷職人や書籍商が激増する。王令の公布が一五五一年の六月二十六日、その二か月後の八月二十七日には、九人の印刷職人がジュネーヴで市民登録をおこなっている。卓越したヘレニストであったアンリ・エティエンヌ（二世）も、「国王付き印刷業者」であった父ロベールの後を追うようにして、パリからジュネーヴに移っている。彼が編んだ『ギリシア語宝典』全六巻（一五七二年）も、現在でも最有力の底本とされている希羅対訳のステファヌス版『プラトン全集』全三巻（一五七八年）も、実はジュネーヴで印刷されたのである。もっとも、エティエンヌ家はしたたかであって、パリのカルチエ・ラタンの店舗には、医学博士で解剖学書を著したシャルルが残り、エティエンヌ家の資産を守っている。ジュネーヴ亡命者の資産没収や、異端者を密告した者への、没収資産の三分の一を報償といった、王令の卑劣な規定への対抗手段であった。

こうして一五五〇年代には、なんと百三十人あまりの印刷職人がカルヴィニズムの首都に移住している。とはいえ、全員が、信仰上の理由で亡命した職人というわけではなかった。ジュネーヴの出版業のときならぬ繁栄に魅力を感じて、出稼ぎ気分で国境を越えた連中もずいぶんいたはずだ。十六世紀前半、ジュネーヴでは、わずか四軒の印刷工房が稼働していたにすぎなかったが、一五五〇年代になると、一挙に二十軒以上に増加している。ここで、二万点以上のサンプリング調査にもとづく、十六世紀の出版都市の二十傑を掲げておく（表6−1）。これを見れば一目瞭然、世紀末に向かって急速に出版点数が伸びているのは、出版文化の立ち後れを一気に取り戻す勢いの大都市ロンドン、対抗宗教改革をめざすローマ、そしてカルヴァン派のジュネーヴという三つの都市なのである。

都市	1501–20年	1521–40年	1541–60年	1561–80年	1581–1600年	16世紀
パリ	803	553	905	624	426	3311
ヴェネツィア	480	625	851	666	592	3214
リヨン	287	537	692	385	305	2206
ロンドン	36	55	199	246	429	965
アントウェルペン	80	154	197	237	150	818
ケルン	157	155	87	180	166	745
バーゼル	116	173	270	112	66	737
フランクフルト	0	19	86	213	345	663
ライプツィヒ	298	33	54	81	105	571
ローマ	76	78	73	68	258	553
シュトラスブルク	201	106	71	33	71	482
ヴィッテンベルク	45	99	55	114	108	421
フィレンツェ	68	35	79	110	126	418
アウクスブルク	132	160	52	23	20	387
ジュネーヴ	2	5	47	126	180	360
ミラノ	200	22	33	38	54	347
ニュルンベルク	52	110	68	47	36	313
ボローニャ	85	46	53	63	49	296
チュービンゲン	21	4	22	82	77	206
ルーヴァン	20	41	36	66	10	173

表6–1　出版点数に見る16世紀の出版都市、ベスト20

ところで、「検閲」がカトリック側の専売特許ではないという事実も、忘れてはならない。カルヴァンのジュネーヴでは、厳しい思想統制がおこなわれていた。たとえば、三位一体や幼児洗礼を否定する著作によって、フランスで異端の罪に問われたスペイン出身の神学者ミカエル・セルウェトゥス（ミシェル・セルヴェ）（一五一一–五三）はジュネーヴに逃れるも、カルヴァンと激しく対立して、異端・反逆の罪で、ジュネーヴのシャンペルの丘で著作とともに火あぶりとなった。この事件を知ったカルヴァンのかつての同志であるセバスティアン・カステリヨン（一五一五–六三）は、『異端者について』などを著して、信教と良心の自由を擁護する立場から、批判を展開する。しかしながら、結局は権力を有する側の迫害を受けて貧窮

図6–2　セルウェトゥス復権の銅像と慰霊碑、ジュネーヴ

のうちに死んだことは、わが国でも、渡辺一夫の著書を通じて知られている（『フランス・ルネサンスの人々』岩波文庫、一九九二年など）。アンリ・エティエンヌもまた、ジュネーヴ当局の「検閲」と対立し、尋問されたりしている。なお、セルウェトゥスが現在では復権を果たし、ジュネーヴに銅像が建てられていることも特記しておきたい（図6－2）。

モンテーニュ『エセー』については、一五九四年、ジュネーヴの牧師評議会が、改革派の教義に沿った若干の修正をおこなうという条件付きで出版を認可している。そして翌年、改革派ヴァージョンの『エセー』が出版される（第五章「著作権前史」を参照）。そして事前検閲により、性的な言及が目立つ第三巻五章「ウェルギリウスの詩句について」など、合計十一章が完全に削除され、他の章も部分的にカットされた。ほぼ三分の一が削られた不完全版なのであった。

七　教皇庁の『禁書目録』と「三つの指輪の話」

教皇庁による『禁書目録』は、毎週のように異端裁判所に通いつめたと伝えられる強硬派のパウルス四世のもとで、一五五九年に刊行された（ローマ、アントニオ・ブラド刊）。だが、あまりに厳しすぎるとされて、次のピウス四世によって方針変更がなされ、禁書も削除・訂正をほどこせば、刊行していいことになった。『禁書目録』の初版では、ボッカッチョの『デカメロン』が発禁となり、Rの項目では、「全著作を発禁とすべき著者」としてラブレーが挙げられている。

たとえば『デカメロン』第一日三話「三つの指輪の話」も「検閲」に引っかかったのだが、それは次のような話だった。

戦争や贅沢で財宝を使い果たしてしまったバビロニアのサラディン王は、アレクサンドリアで金貸しをしているユダヤ人のメルキゼデックに難問を出して困らせ、この男から金を引き出そうと考えた。難問とは「ユダヤ教、イスラム教、キリスト教のうち、どれが本物か」というものであった。王の意図を見抜いたメルキゼデックは、「三つの指輪」という譬え話をする。ある一族では代々、指輪を託された子供が後継者となってきたが、三人の息子をさずかった父親が、三人とも等しく愛していたので、そっくりの指輪を別に二つ作らせて、三人全員に与えたといいます。そのため、どれが本物の指輪か決め手もなくて、相続問題には結論が出ておりません。こう話して、メルキゼデックは三つの宗教の正統性に関しても同じで、決着の付けようがないのですと述べて、サラディン王の難問を巧みにはぐらかすのだった。

この話が検閲に引っかかり、削除したり、すっかり書き換えた版も流通していたらしい。ただし、わたしが実際に調査した『ローマで再修正され、トリエント公会議の命令に従って訂正されたデカメロン』（フィレンツェ、ジュンティ刊、一五七三年）の場合、「いずれが本物か決め手はなく、従って誰が父親の真の相続人であるかという問題が宙に浮いてしまい、今なおその決着は見ておりません」、「しかし、いずれが本当の教えであるかは、指輪の場合と同じように、今なお決着は見ておりません」という二個所の削除にとどまっている。つまり、宗教の相対性・多様性といった観念が弱められているにすぎなかった。

十六世紀後半の北イタリアに、たまたま無削除版で「三つの指輪の話」を読んで、宗教的な相対主義あるいは寛容論を主張した粉挽き屋がいた。メノッキオことドメニコ・スカンデッラ（一五三二―一六〇〇）である。彼は、『デカメロン』、マンデヴィル『東方旅行記』など、十数冊の書物を読んで自己流に消化して、再構成し、「頭のなかで爆発性の混合物を」作り出してしまう。そして、異端の罪で告発されると、異端審問官に向かって「三つの指輪」の譬えを話して聞かせたのだ。かくして一六〇〇年、メノッキオは異端者として処刑されてしまうのである（詳しくは、カルロ・ギンズブルグ『チーズとうじ虫——16世紀の一粉挽屋の世界像』杉山光信訳、みすず書房、二〇二一年新版を参照）。

八　モンテーニュ、『エセー』初版の「検閲」を受ける

最後に、モンテーニュがローマで受けた「検閲」について簡単に紹介しておきたい。一五八〇年に『エセー』初版を刊行した彼は、約一年半に及ぶ大旅行を決行する。主たる目的地はイタリアだが、結石という持病をかかえていたから、この間、各国の温泉を

訪れて温泉療法を試みている。その『旅日記』は、当時の温泉（療法）の貴重な記録ともなっている。とはいえ、当時の知識人として、やはりローマが最大の目的地であるから、「永遠の都」には二度にわたって約五か月ほど滞在している。一五八〇年十一月三十日の夜遅く、モンテーニュは北のポポロ門から初めてローマに入る。同行した秘書が、こう書き記す。

入市に際して、税関で殿の荷物が検査を受けて、衣類など、こまかなものまでくまなく調べられた。イタリアのその他のほとんどの都市では、役人は、こちらがただ見せるだけで良しとしていたではないか。ところがローマでは、手荷物の書物まででも、取り調べと称してすべて没収されてしまった。調査には長い時間を要するのだから、他に用事がある人間は、没収されたままで、失せ物だとして諦めるかもしれない。

（『旅日記』）

このあたりの記述から推して、ローマ入市に際して、モンテーニュは自著『エセー』の初版を、検閲のために没収されたらしい。ただし、『エセー』が没収されたとは明記されてはいないから、むしろモンテーニュが、先手を打って、教皇庁のお墨付きを得るべく、『エセー』を自発的に差し出して、検閲してもらったという推理も存在する。自発か強制かの議論はさておき、『エセー』はローマ教皇庁検閲官のチェックを受けることになった。

押収された書物が返却されたのは、なんと翌年の三月二十日であった（一冊は返却されなかったという）。この間、理由は不明だが、モンテーニュは日記を書いてくれた秘書を解雇している。そこで、『旅日記』は以後、一人称で綴られる。

その日の夕刻、わたしの『エセー』が返却された。神学博士の修道士の意見という懲らしめを受けて。「教皇庁検閲官」はフランス語をいささかも解しないので、あるフランス人修道士の報告に基づいて、裁定をくだすことができたという。このフランス人修道士が検閲官殿に残していった、非難叱責の各事項に対して、わたしが色々と弁明をおこなうと、検閲官殿はこれに大いに満足なされて、自分で気に入らないところでもあれば、訂正してくださいと言って、そのことはわたしの良心に委ねられた。そこでわたしは、逆に、拙著を判断した方の考え方を問い質していただきたいと、お願いした。というのも、わたしは、「運命」という語を用いたり、異端の詩人たちの名前を挙げたり、［「背教者」の］ユリアノスを弁護したり、祈る者は、その時に、悪徳への性向を免れていなければならないといった非難をしたり、単純な死刑以上のものは残酷さでしかないとか、子供はなんでもするように育てるべきだと書いたのだが、これらはいずれも自分の意見であって、これらが誤謬だなどとは思わずに、書き付けたことは認めるものの、それ以外に関しては、斧鉞《ふえつ》を加えた方が、わたしの考えを理解しているとは思えないと述べた。

上記の「検閲官」はりっぱな人物であって、わたしに深謝し、自分はこの修正意見に左袒するものではないことを仄めかした。　（『旅日記』）

どうやら、返却された『エセー』の随所に、あれこれと修正意見のようなものが付されていたらしい。たとえばモンテーニュは「運命 Fortune」という言葉を何度も使っているけれども、ローマ教会の意見では、「神の摂理 Providence」にしなさいというのだ。「異端の詩人たち」とは、カルヴァンの後継者となったテオドール・ド・ベーズなどのことだし（第二巻十七章）、「背教者」ユリアヌスへの共感は、「信教の自由について」（第二

＊ラブレー
モンテーニュ（『エセー』）
パスカル（『パンセ』）
ラ・フォンテーヌ（『コント集』）
モンテスキュー（『ペルシア人の手紙』）
ヴォルテール（『哲学書簡など』）
＊ディドロ（『百科全書』含む）
ルソー（『社会契約論』など
サド（『ジュスチーヌ』など）
＊バルザック
スタンダール（『赤と黒』）
フロベール（『ボヴァリー夫人』など）
＊ゾラ
＊ジッド
＊サルトル
（＊は全著作が禁書に）

表6−2　教皇庁の「禁書目録」に入れられた主なフランス文学

巻十九章）で表明されている。また、残虐な刑罰への批判は、「臆病は残酷の母」（第二巻二十七章）でなされている。しかしモンテーニュは、そのように考えたから書きました、自分は確信犯ですと、教皇庁の「検閲」部門を取りしきるドミニコ会士のお偉いさんに反論したのである。すると、相手もさすがは、その後ドミニコ修道会の総長になるだけの人物であって、柔軟に考えて、理解を示してくれたらしい。

やがて、旅行中にボルドー市長に選出されたモンテーニュ（亡き父親もボルドー市長をつとめた）は、急遽イタリアから帰国する。けれども、市長職もそこそこに、まずは『エセー』の加筆・訂正をおこなって、一五八二年に『エセー』「第二版」を上梓する。ところがその際、教皇庁の「検定意見」を取り入れた様子はほとんど感じられない。第一巻五十六章「祈りについて」は、「検閲」でも問題にされた個所なのだが、その冒頭には、次のような文章を書き足すことになる。

大学などでは、不確かな諸問題を明らかにして討論させたりするけれど、それと同じように、わたしもここで、形が定まらなくて、結論の出ていない考えを提示したい。それは、真理を確立するためではなく、それを探求するためなのである。それらを、わたしは、わたしの行動や著作のみならず、わたしの思想をも統御することを任務とする人々の判断に差し出す。彼らによる非難も、称賛と同じく、受け入れるべきものだし、有益なのである。（中略）したがって、わたしは、わたしに対して絶対的な力を有する、教会による検閲［「譴責」とも訳せる］という権威に、たえず身を委ねつつも、軽率なことに、次のように、あらゆるたぐいのことがらに口出ししてしまうのだ。

こうやって、いわば予防線を張っておいてから、かなり自由な議論を進めて、その筆は教皇庁の指摘への反論にまで及ぶ。その後、一五八八年の生前の決定版『エセー』では、第三巻という新たに書き下ろしたテクストのなかでも、自説をさらに展開していく。つまり彼は、「検閲」にひるむことはなかったのだ。しかしながら、十七世紀後半になると、『エセー』は、キリスト教に批判的な「自由思想」や、「懐疑主義」と結びつく「危険な書物」とみなされ、一六七六年には『禁書目録』に入れられる。この措置が解除されるのは一八五四年のことであった。

ローマ教皇庁の『禁書目録』が最終的に廃止されるのは一九六六年のことである。参考までに、フランス文学関係でブラックリスト入りを経験した作家を掲げておこう（表6-2）彼らの作品がことごとく焚書されて後世に伝わらなかったならばと想像すると、暗澹《あんたん》たる気持ちにならざるをえない。第九章の主役、小説家フロベールのことばを最後に引いておく。

検閲はいかなるものであっても、ぼくにとっては悪逆非道なふるまいに、殺人よりも悪しきことに思えます。思想に対する侵犯行為は大逆罪ですよ。ソクラテスの死が、いまだに人類の良心にのしかかっているのです。

（ルイーズ・コレ宛書簡、一八五二年十二月九日）

◉第七章 読み書きの民主化

識字率について

一 「識字率」とは

「文学のエコロジー」において、もっとも重要となるのは、読み書き能力と教育という主題であるかもしれない。一定の読み書き能力がなければ、文学を読んで味わうことはできない。また、その能力を身につけさせるには、しっかりした教育制度が不可欠であろう。本章では、出版やジャーナリズムが飛躍的に発展して人々が活字に接するようになったヨーロッパの十九世紀を中心として、いわゆる「識字率」について考えてみたい。

ある社会において、「母語」による読み書き能力を備えた人々の割合を「識字率 Literacy rate」と呼ぶ。ユネスコでは、「日常生活の簡単な文章を理解し、読み書きできる十五歳以上の人」を「識字者」と定義している。十五歳というのは、「義務教育」を終了した段階でという意味合いであろう。しかしながら、基礎的な読み書き能力としての「識字」といっても、その定義自体がかなり漠然としているから、安易な比較から性急に結論を引き出すことは控えるべきかもしれない。

読み書き能力は、社会の安定した発展には不可欠な知的インフラであるから、発展途上国では定期的に識字率の調査を行っている。いわゆる国勢調査などによって、個人の読み書き能力を調べて、それを集計するのである。ユネスコの二〇〇四年の統計によれば、ベナン、セネガル、バングラデシュ、エチオピア、パキスタンなどが、四割程度と低識字率の国家として挙げられている。実際にはもっと低識字率の国があるかもしれないし、地域差も非常に大きいかと思われる。

こうした表を見ていると、奇異な感に打たれるデータもある。「国民総生産GNP」ではなく「国民総幸福度GNH」の重視を国是とする立憲君主制国家ブータン（公用語はチベット系のゾンカ語）の識字率が意外と低くて、バングラデシュと同じく四十七％（二〇〇四年度）にすぎないという事実だ。識字率をもっと上げれば、「国民総幸福度」もさらに上昇するのではないだろうか（二〇一二年には六十％と上昇）。もっとも、移民のるつぼアメリカ合衆国の場合も、「母語」ではなくて英語に限定した場合には、識字率は半分を越える程度だともいわれるから、ブータンの場合も、ゾンカ語という「公用語」の読み書き能力に限定しての数字ということであろう。

やや数字が古いものの、一九九五年の統計によれば、全世界の識字率は約七十七％にすぎないという。依然として四人に一人が、文字の世界から排除されたまま大人になっているという事実に愕然とする。飛躍的な発展をとげるアジアやアフリカで、大都市周縁のスラム街に生まれて、家計を支えるために早くから働かされ、学校に行きたくても行けない子供たちが、いまだに数えきれないほど存在する。これが世界の残酷な現実なのである。

これに対して、わが日本は、ほぼだれもが読み書きできるという恵まれた国家であって、こうした調査はもはや不要とされて、実施されていない。そして「就学率」をもって識字率の代用としているが、これまた実質的には百％を達成している。

二　昔の人々の識字率を知る——婚姻署名という手がかり

ところで、人々の読み書き能力を統計的に調査するといっても、これが数百年前のこととなれば、非常に困難な課題であることはいうまでもない。どうやって知ればいいのだろうか？　たとえば、ディアナ号の艦長として世界周航の途中に国後島で江戸幕府の役人に捕まり、松前で二年余りの幽閉生活（一八一一－一三）を余儀なくされたロシアの海軍中将ヴァシリー・ゴロヴニンは、「日本人はもっとも教育の進んだ民族で、読み書きできない人間はいない」（『日本幽囚記』）と述べているが、その当時、識字率が百％ということはありえない。わざと誇張して書いたにちがいない。こうした個別の証言に、安易に依拠するのはリスクも多い。

では、フランスの場合はどうだろうか？　石工からたたき上げて政治家となったマルタン・ナド（一八一五－九八）は、その回想録で、十九世紀前半について、「自分の氏名をサインできる労働者は百人に十人しかいなかった」（『ある出稼ぎ石工の回想』喜安朗訳、岩波文庫）と書いているけれど、この数字ははたして信頼に値するのだろうか？　あるいは、この「百人に十人」は言葉の綾であって、労働者はほとんどが読み書きできなかったということだろうか？　これらの問いに答えるのはむずかしい。やはり、人々の識字率を知るには、この種の単独証言では不十分であり、多数の事例が時系列に沿うかたちで揃っていることが必要条件となろう。

革命後のフランスでは、公教育の重要性が強く認識されるようになり、制度改革が進んでいった。一八三三年の「ギゾー法」によって市町村には小学校の設置が義務づけられたし、一八八一年には初等教育無償法が成立、翌年の「フェリー法」で、その義務化・非宗教化が定められた。こうした動きと平行して、十九世紀半ばからは国勢調査の際に、人々の読み書き能力を記録するようになった。そして一八七〇年代の後半を迎えると、過去の「識字率」を調べよう、革命以前はどうだったのか、いくつかの時期について調査しようという雄大な計画が持ち上がった。そうはいっても、そんな昔の識字率に関する直接の記録は残っていない。ところが、なんとも幸運なことに、間接的なデータならば残っていたのだ。それは、婚姻の際に新郎新婦が教区の記録簿に記載した署名というデータにほかならない。フランスでは、一六六七年の「民事王令」により、新郎新婦は四人の立会人の前で、教区の記録簿にサインすることが義務となっていたのである（それ以前に、一五三九年の「ヴィレル＝コトレの王令」で婚姻の教区名簿への記入が命じられてはいたものの、司祭が書き入れる事例が多く、参考にならない）。とはいっても、無筆の者はどうすればいいのだろうか？　心配には及ばない。その場合には、署名の代わりに、×などのしるしを付ければよかったのだから。

教区の記録簿への署名は、革命後の一七九二年の戸籍法改正によって廃止されて、以後、出生・結婚・死亡の記録は、国家の管理下に入ることになった。新郎新婦は、市町村の役場において、立会人の前で署名することが義務づけられたのである。

こうして、昔の人々の識字率調査が開始された。全国の小学校の先生が動員されて、教区名簿や役場の婚姻名簿をめくりながら、十七世紀末、革命前後、王政復古時代、そして現代と、四つの時期における婚姻署名の有無を調べた。総勢一万六千人の先生たちが調査に従事したというから、巨大なプロジェクトであった。その詳細は省略して、結果だけを紹介する（表7－1）。

表7–1　フランスの識字率

	男	女	全体
1686–90年	27%	14%	21%
1786–90年	47%	27%	37%
1816–20年	54%	34%	44%
1872–76年	78%	66%	72%

これは、あくまでも婚姻時の署名率にすぎない。書けるのは自分の名前だけで、本などとても読めない人だって多かったに決まっているから、厳密な意味での「識字率」とはいえない。おまけに、ひとくちに署名（サイン）といっても、秀麗なる書体から金釘流までさまざまであった。実際、署名とは名ばかりで、絵文字もどきのサインもたくさん残されている。サインひとつとっても、社会階層の反映となっていることがわかる（図

7−1)。しかも、このデータは、結婚適齢期である二十代から三十代の男女に偏っているわけで、全体の傾向を忠実に反映しているとはいえないと文句をつけることも可能だろう。とはいえ、他に適当な方法など思い浮かばないではないか。とにかく全国的なデータが集まったのだから、きわめて貴重な数字であることだけはまちがいない。この数字を見ると、十九世紀後半には署名率が七割を越えていることが判明する。男女差は相変わらず存在するものの、確実に縮まっていることもわかる。なお、一八七六年の署名率は、農村部では六十七%あまりだが、パリを擁するセーヌ県では、なんと九十二%に達している。首都圏では、読み書きできるのが当たり前という状況が目前なのであった。

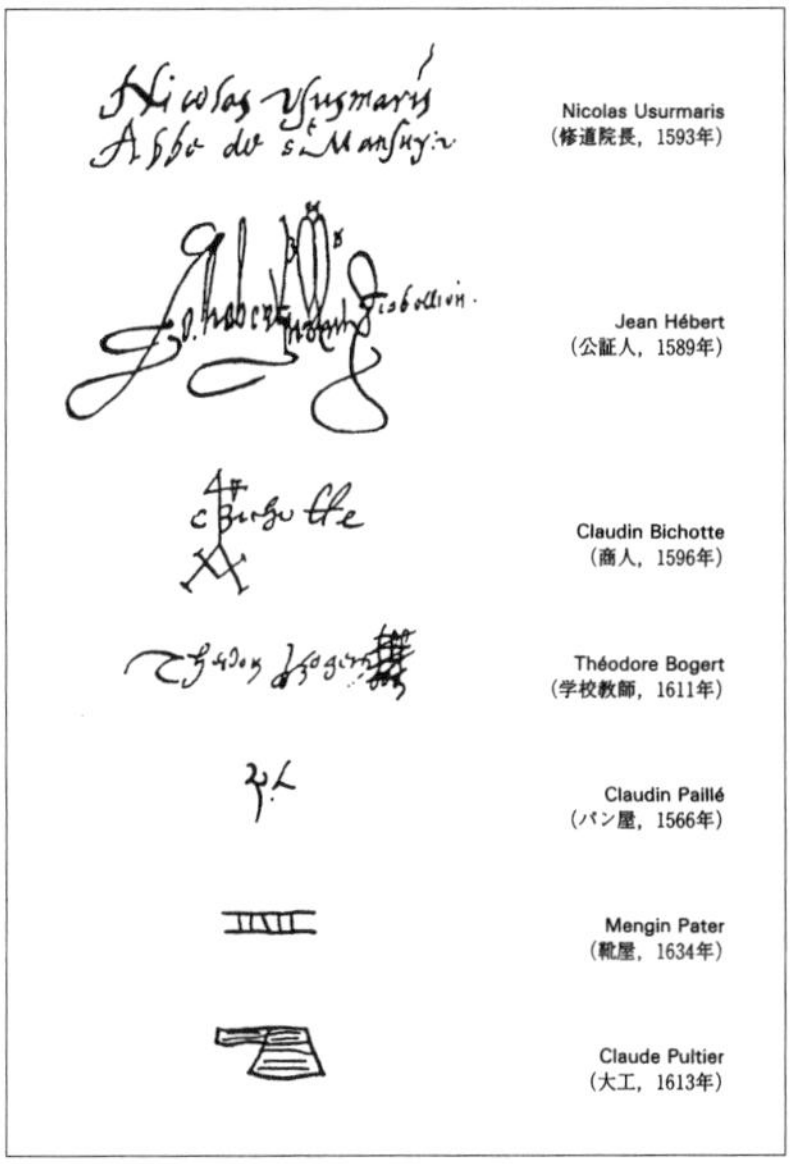

図7−1　社会階層と署名

三　地域格差、性差――ゾラ『居酒屋』を読む

次に、もう少しクローズアップで、「識字率」の差異に迫ってみたい。革命前後における男性の「署名率」の高低を、県別で濃淡にして表した地図が興味深い（図7-2）。これを眺めていると、識字率の「南北格差」が顕著であることに驚かされる。これにはおそらく、産業構造の相違などいくつかの理由が考えられるものの、フランスの北部や東部については、カルヴァン派やルター派を奉じるプロテスタンティズムの国家と隣接していることに注目したい。プロテスタンティズムは、聖職者を媒介とせず、個人が世俗語に翻訳された聖書を繙いて、神と対峙することを信仰の基本としていた。「宗教改革」とは、読むことの革命でもあったのだ。当然ながら、読み書き教育には力を注いだから、識字率が急速に上昇したことは想像にかたくない。やがてカトリックも、これに対抗して教育に乗り出していった。そこで、新旧両派がせめぎ合う地域ほど、読み書き能力が向上したものと解釈しておきたい。

それにしても、十七世紀末の署名率を見ると、男性の二十七％に対して、女性はその半分にすぎない。どうして、これほど大きな差があるのだろうか？　もちろん、教育等

における差別もあったにちがいないが、ここには、もうひとつの現実が隠されている。女性の場合は、たとえ文字が読めても「書くという自己表現」からは遠ざけられ、抑圧が働いていたという事実だ。男性中心の社会で女性が手にすべきは針や糸なのであって、決してペンではなかった。家庭でも、帳簿を付けること、つまり、書くことは夫の管轄ないし権利なのだった。その代わりに、母親は子供たちに本を読んでやっていたにちがいない。このような現実も、署名率にはね返っているものと推測される。

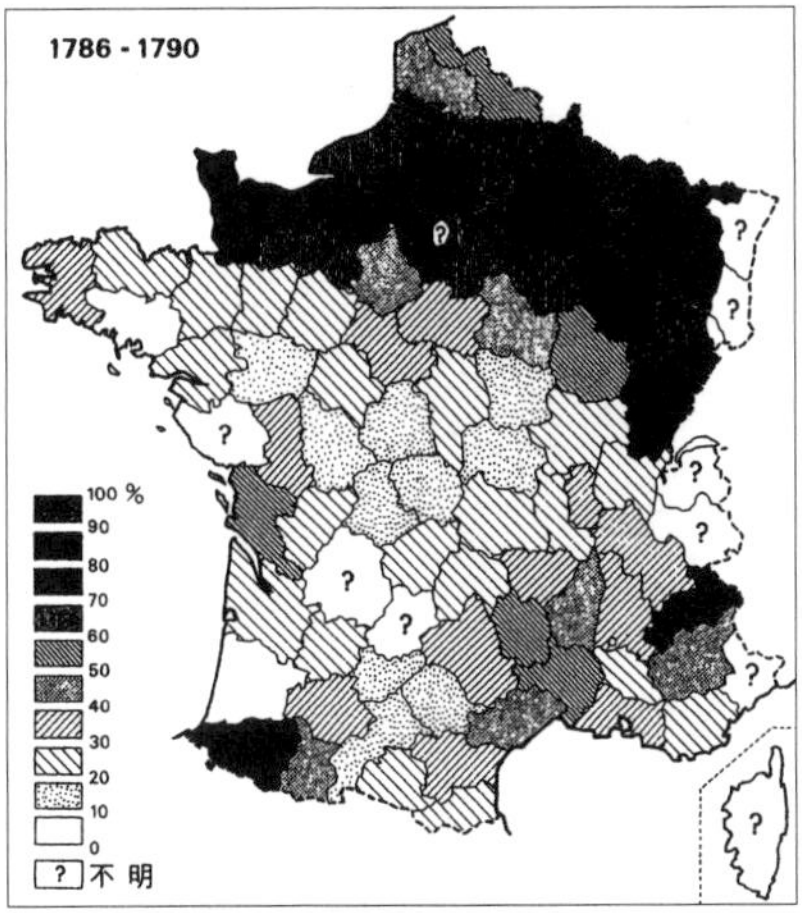

図7−2　革命前後の男性の「署名率」

　十九世紀の識字率に関しては、より詳しい折れ線グラフが作成されている（図7−3）。相変わらず男女差は存在するとはいえ、女たちは見かけの差ほど読みの世界で男たちに立ち遅れていたわけではないし、この世紀における女性の識字率の伸びはいちじるしかった。十九世紀は小説というジャンルが発展した時代だけれど、そこでの読みの

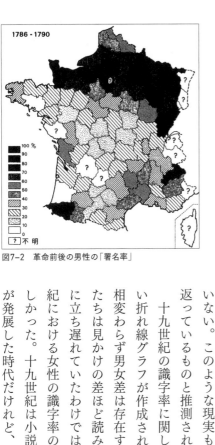

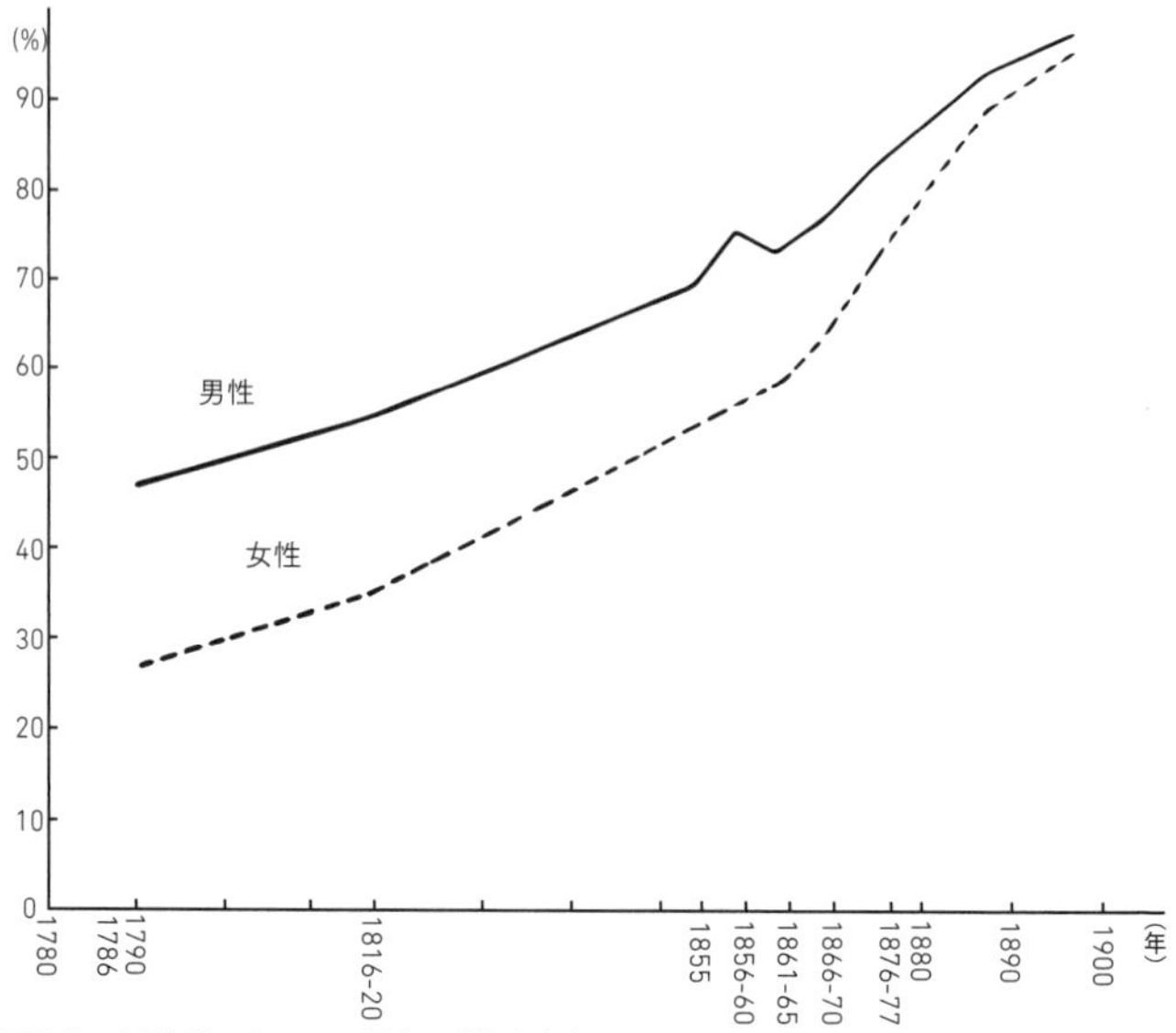

図7−3　19世紀における、男女の「識字率」の上昇

主役はむしろ女性であったのだし、針を持つ手にペンを握って、日記とか、詩や小説によって自己表現をおこなう女性も増加していく。そして十九世紀末を迎えると、グラフを見れば一目瞭然、男女差はほとんどなくなっている。

ここでは、婚姻署名の様子と、男女の逆転現象が描かれた小説を紹介したい。一八五〇年代のパリの場末町を舞台にした「都市問題小説」の傑作、エミール・ゾラの『居酒屋』（一八七七年）だ。ヒロインの洗濯女ジェルヴェーズは、恋人のランチエと子連れでパリに出てきたものの、口ばかり達者でぐうたら者のランチエは、結局、別の女と逃げてしまう。ジェルヴェーズは、同じ安宿に暮らす板金工クーポーに熱心に口説かれたあげく、この人ならば真面目だし、幸せになれると思ってプロポーズを受け入れる。そして結婚式の当日、教会に行くのに先立って、新郎新婦は立会人とともに区役所に向かう。ようやく、「新郎新婦とおふくろさんと四人の立会人」の順番がやってくる。

民法の朗読とかおきまりの質問、書類への署名といったいろいろな形式上の手続きがじつにてきぱきと片づいてゆくので、儀式が半分がとこ盗まれてしまうような気がして、彼らは顔を見合わせた。ジェルヴェーズは呆然となり、胸をいっぱいにしてハンカチーフを唇に押し当てた。クーポー婆さんは熱い涙を流した。全員が一所懸命にになって台帳に向かい、大きな金釘流の字でそれぞれ自分の名前を書いたが、ただ新郎だけは字が書けなかったので十字架のしるしを書いた。それから彼らは、それぞれ貧乏人のために四スー［二十サンチーム］ずつ寄付をした。下級事務員から結婚証明書を渡されたとき、ジェルヴェーズに肘をつっつかれたクーポーは思いきってさらに五スー奮発した。

区役所から教会への道のりは長道中だった。途中で男たちはビールを飲み、クーポー婆さんとジェルヴェーズは水割りのカシス酒を飲んだ。（中略）がらんとした教会のまんなかで、下働きの男が彼らを待ちうけていた。その男は、こんなに遅刻したのは神様をないがしろにするつもりなのかと、ぷりぷりしてたずねながら、彼らを小さな礼拝堂のほうへと押しやった。（中略）いかにも不愛想な様子の司祭が大股でやってきた。司祭は、新郎新婦と証人たちを横目で見ながらラテン語の文句をもごもごと唱え、大いそぎにぐるっとまわったり、上体を曲げたり、両腕をひろげたりして、ミサを手早く片づけた。（中略）聖器所の帳簿に参列者がもう一度署名をして玄関の明るい陽ざしのなかに立ったとき、一同は大いそがしに引きまわされたのに息を切らせ、一瞬呆然《ぼうぜん》としてそこに立ちつくした。

「すんだ！」クーポーがばつがわるそうに笑いながら言った。」

（ゾラ『居酒屋』第三章、清水徹訳、《集英社ギャラリー世界の文学7》一九九〇年）

いかにも庶民の結婚式の雰囲気が出ていて、こうしたディテールにも、作者ゾラの社会的な眼差しが遺憾なく発揮されている。新郎新婦は、区役所と教会とで結婚式を執り行って、署名をしているが、区役所での署名が義務であって、正式なものである（図7−4）。ジェルヴェーズは名前を書けたけれど、クーポーは十字マークで済ませるしかなかった。立会人の連中も「金釘流」なのだから、どうやらまともな読み書きはできなかったらしい。では、はたして十九世紀なかば、パリの場末で暮らす労働者たちは、実際に読み書きもままならなかったのだろうか？

『居酒屋』がフィクションだと承知の上で、もう少し物語を読み進めてみよう。結婚したクーポーとジェルヴェーズは、新グット＝ドール街（グット＝ドールは「黄金のしずく」、酒の暗喩となっている）に部屋を借りる。ジェルヴェーズは、隣人でハンサムな鍛鉄工のグージェとプラトニックな愛を育む。その鍛鉄工の部屋には「壁に吊した狭い書棚」があって、「彩色版画、絵入り新聞から切り抜いた多種多様の人物の肖像」などが貼られている。大きな身体に似合わずロマンチストの彼は、「夜、本を読んでいて疲れてくると、この絵を見て楽しむ」のだ。一方ジェルヴェーズは、洗濯屋を開業することを夢見て、夕食後には「新聞紙のはしに間取り図を書いて」、空想をめぐらせる。そして、柱時計のなかに隠した銀行通帳を眺めては、「へたくそな字でよごれたこの帳面のなかに、あ

図7–4　市役所での婚姻署名（『居酒屋』挿絵版）

たしの店があるのだわ！」と思ったりするのだ。労働者階級とはいえ、グージェもジェルヴェーズも、新聞などの活字印刷物とけっして無縁な存在ではない人間として描かれていることに注目したい。ゾラの記述は、かなりの程度、当時の現実を反映しているはずだ。

　ところが、ジェルヴェーズが洗濯屋の開業を決める直前、クーポーは屋根から落ちて大けがをする。労働意欲を喪失したクーポーは、酒を飲み始め、爪に火をともして貯めた開業資金は介護費用に消えていく。そこでグージェは愛するジェルヴェーズのために、自分の貯金を貸してやるのだが、グージェの母親は、こうした人助けに懐疑的にならざるをえない。

　クーポーがしだいにぐれてきたから、やがて彼女の家を食いつぶしてしまうだろう。回復期のあいだに字の読み方を教えてあげようと申し出て、板金工から断られたことが、彼女にはとりわけ許せなかった。鍛鉄工が教えてあげようと申し出たのに、クーポーのほうは、学問など世の中を痩せっぽちにさせるとけちをつけて、はねつけてしまったのだ。（第四章）

読み書きを覚えることこそ社会でしっかり自立していくための基本であるのに、そうした意欲のないクーポーなんかこの先ろくなことにならないという、グージェの母親の不安は的中する。クーポーは酒に溺れてアル中となり、ジェルヴェーズの家庭は、長女ナナ（のちに『ナナ』のヒロイン）ともども崩壊していくのであった。

四　マルタン・ナドの場合

「読み書きを覚えることこそ、社会でしっかり自立していくための基本」と『居酒屋』にもあったが、庶民が教育を受ける機会も徐々に増加して、それが立身出世に結びつくという観念も広まっていく。先ほどふれたマルタン・ナドの父親のレオナールは、地方の農民なのだが、石工としてパリに出稼ぎに行くことで生計を立てていた。帰郷したレオナールが、妻にこう話したという。

「わが子には俺ができなかったことが、できればいいなと思っている。俺がもし読み書きができたら、あんたは今のように不幸ではなかったろうよ。金を稼ぐ機会には事欠かなかっただろうから。しかし読み書きが全くできなかったから、俺はただの職人のままでいなければならなかったし、いつも石工の仕事に没頭していなければならなかったのだ」

（マルタン・ナド『ある出稼ぎ石工の回想』喜安朗訳、岩波文庫）

ところが、マルタンの母親は、畑仕事のほうが大事だといって、息子の教育には否定的なのである。祖父も、「わしの兄弟も、お前も、わしも、文字をおぼえることなど全然やらなかったが、どちらにしろ、パンを食べることにこと欠きはしなかった」といって、猛反対する。しかしながら、父親は毅然とした態度で、反対を押し切って、息子を先生につけるのだ。こうして読み書きを身につけた息子のマルタン・ナドは、やがて石工仲間に推されて代議士となって活躍し、第二帝政期にはイギリスに亡命して、同じく亡命組のヴィクトル・ユゴー、哲学者ピエール・ルルーなどとも親交を結び、『ある出稼ぎ石工の回想』という貴重な記録を書き残したのだった。

五　中世フィレンツェという例外

ヨーロッパ中世でも、識字率を知りうる例外的ともいえる時空間が存在する。それは一四二七年のフィレンツェ共和国にほかならない（詳細は、大黒俊二『声と文字』岩波書店、二〇一〇年を参照）。

この年、フィレンツェでは税制改革によって、新たな直接税の徴収に備えて「カタスト catasto」と呼ばれる所有財産の申告調査が行われたのだ。家屋、農地、家財、債務など、それに世帯構成メンバーの氏名・年齢を添えて提出されたところの、合計九千六百七十七通の自己申告書が残されているという。しかも申告書の末尾には、「わたくしXは、この書類をみずから作成した」とか、「わたくしYが、Zの意志にしたがってこの書類を作成した。彼は書くことができないから」等々が記されているから、識字率を把握するための信頼できる史料となっている。このコーパスを使って、ある学者は、

申告者総数	9,677 （男性8,117、女性1,560）
（健康な）成人男子申告者	7,370
うち、自筆の者	5,111
うち、代筆してもらった者	2,259
（健康な）成人男子の識字率	69.3%

表7−2　成人男子の識字率（15世紀前半フィレンツェ）

成人男子に関して、次のような数字をはじきだした（表7−2）。

それによると識字率は約七割となったが、「カタスト」の調査をおこなった学者は、代筆の理由が明記されていない場合も多く、そのなかには識字者あるいはそれに準ずる者がかなり含まれていたと考えて、成人男子の実際の識字率は八割近いのではないかと推定している。当時のフィレンツェ（人口は約三万人）における学校、教師、生徒の数も把握されており、これらから推して、識字率の高さにまちがいはないらしい。

読み書き算盤を重視した商都フィレンツェならではのアヴェレージの高さだが、それにしても驚くべき数字で、同時代の他の都市を圧倒していたにちがいない。たとえば十五世紀後半のヴェネツィアの公証人文書に出てくる百九十七名の男子のうち、百二十人が自分の氏名を書くことができなかったのだ。また一六〇〇年の時点で、イングランドの男性識字率は二十五%、フランスとスコットランドが十五%という数字も出されている。いかに、十五世紀フィレンツェの識字率が突出していたか、歴然としているではないか。

けれども、驚くのはまだ早いのだ。「声の文化」から「文字の文化」に移行した社会は、よほどの特殊事情でもないかぎり、ふたたび「声の文化」に逆戻りすることはないというのがわれわれの常識であろう。そしてまた、われわれは、読み書き能力も社会の進化とともに上昇していくと考えがちであろう。ところが、そうした単純な思考法はまちがいであるらしい。フィレンツェの識字率は、一四二七年の数字を頂点として、少しずつ下降していったのだという。商人が支配する都市国家から、君主・貴族の支配する絶対主義国家への移行にともなって、人々のリテラシーも衰微していったとするならば、これはショッキングな事実ではないだろうか。インターネットの時代、はたして人々のリテラシーはどのように変化していくのだろうか？

六　日本人のリテラシー

では最後に、日本の場合について、少しだけ考えてみたい。昔の人々の識字率をどうすれば知ることができるのだろうか？　まずは、江戸時代の「宗門人別改帳《しゅうもんにんべつあらためちょう》」というコーパスがあって、「歴史人口学」の史料として名高い（以下、「宗門改帳」と呼ぶ）。これは「切支丹宗門人別改帳」という別名が物語るごとく、最初はキリシタンの摘発を目的に作成され、それが徐々に行政的なものに変身していったのだ。宗門改帳は当初は僧侶が行っていたが、やがて村・町・組ごとに庄屋や名主の手を煩わせて、毎年作成されるようになった。そこには宗派・寺院名ごとに家族単位で氏名、年齢、続柄が記入された。現代の戸籍の前身といえるかもしれない。したがって作成者たる庄屋層の読み書き能力の高さを確かめる史料とはなるものの、残念ながら、農民や町民の識字率を知る手だてにはならない。

　それでも一般的には、江戸時代における「寺子屋」の多さや、就学率の高さを根拠として、識字率は高かったという結論が導き出されている。とはいえ、読み書き能力を測るための長期にわたるコーパスが存在するわけではないことは知っておきたい。日本の経済・社会の研究で知られる社会学者ロナルド・ドーア（一九二五－二〇一八）は、江戸末期の就学率は男性四十三％、女性十五％という数字をはじき出したものの、その後、この推論自体に無理があったことを認めている。

1	名前、住所、数字が読み書きできない者：312人（35.4%）
2	名前、住所だけは書ける者：363人（41.2%）
3	日々、出納帳をつけられる者：128人（14.5%）
4	普通の文書が読め、簡単な形式の文書に記入できる者：39人（4.4%）
5	通常の商売のやりとりができる者：18人（2%）
6	布告などが読めて、新聞の社説をしっかり理解できる者：15人（1.7%）

表7–3　1881年、長野県常盤村の識字率

明治時代になっても、事情はさして変わらない。政府のお雇い外国人で、大森貝塚の発見でも有名な動物学者エドワード・モース（一八三八－一九二五）は、笈《おい》を背負って家々をまわる、江戸時代から続いてきた貸本屋の姿を見て、「日本には無教育ということはないのだ」（『日本その日その日』）という感想をもらしているが、これとても、自分の観察を一般化した発言でしかない。

要するに、正確なところはわからないというのが正直なところだ。ここでは、信頼度の高い数字として、一八八一年に現在の長野県北安曇郡常盤村で、八百八十二人の成人男子に対して実施された読み書き能力テストの結果を示しておく（表7－3）。能力に従って、六段階に分類されているのが貴重である。

1のカテゴリーを除けば署名できることになるから、婚姻署名にもとづくフランスの調査と比較できなくはない。

その場合、常盤村の成人男子の識字率は約六十五％ということとなって、フランスの一八七二年から一八七六年の全国平均七十八％には及ばないものの、地方性を考慮するならば、似たようなものかもしれない。いずれにせよ、異なる調査手法による数字なのであるから、安易な比較は禁物であろう。

コロンビア大学などで教壇に立ったリチャード・ルビンジャーは、欧米での識字率研究の成果・手法を基礎に、花押、日記、帳簿、明治期の壮丁教育調査といったコーパスを活用して、わが国の民衆の読み書き能力の変遷を描き出した（リチャード・ルビンジャー『日本人のリテラシー　1600‐1900年』柏書房、二〇〇八年）。なんとこれが、日本人の識字能力の歴史をテーマとした最初の著作なのだという。文化的な均質度も高く、国民総識字者というイメージの強いわが国では、リテラシーといえば、もっぱらＩＴリテラシーであって、基本的な読み書き能力としてのリテラシーの歴史という問題意識が希薄であったのかもしれない。今後、研究の深化が待たれる分野といえよう。

◉第八章　バルザックのメディア戦記

一　《人間喜劇》という壮大な社会絵巻の作者

バルザック（一七九九―一八五〇）といえば、だれでも『ゴリオ爺さん』『幻滅』『谷間の百合』といった長編小説を連想するにちがいない。それらの小説（ロマン）は、決して孤立した作品ではない。《人間喜劇》という、全部で数千人もの登場人物が織りなすところの、巨大な社会絵巻の中央を占める傑作群なのである。この《人間喜劇》、約九十編に及ぶ長編・中編・短編で構成されているのだが、その長さは、プルーストの『失われた時を求めて』の三倍近いのではないだろうか。全編を読んだ希少な読者は、ひとつの確固たる世界観による小説空間を体験できて、さぞかし感動するであろう。

バルザックは、この《人間喜劇》を、深夜から昼頃まで、コーヒーをがぶ飲みしなが

図8–1　1842年のバルザック（ナダール撮影）

ら書きまくったという有名な逸話がある。それにはやむにやまれぬ事情があったのだ。これも有名であろうけれど、大変な借金漬けの身だったのである。「さようなら、愛しいロールよ、死ぬほど働いているんだ。でも、そのときには、借金をすべて払ってから、母さんにもすこしばかりの財産を残せるように、生命保険にも入っておきたいんだ」（一八三八年十月）と、最愛の妹に書くほどであった。

バルザックの猛烈にして苛烈なる後半生は、一般読者と市場、そして活字ジャーナリズムの出現という、新たなメディアの時代とまともに向き合い、旧制度にチャレンジしたあげくの負け戦がもたらした結果だった。だが、こうして背水の陣でのぞんだ原稿との熾烈な格闘の日々から、まさに《人間喜劇》という作品群が生まれた。このあたりの事情を、言い換えるならば、バルザックの「メディア戦記」を紹介してみたい。

二　実業家と作家

フランス革命の十年後に生まれたオノレ・バルザックは、パリ大学法学部に登録すると共に公証人事務所などで見習いもしていたが、作家志望を宣言して雌伏の時期をすごす。一時期は、貸本屋――フランスでは「読書室 cabinet de lecture」と呼ばれていた――向けの通俗小説を、友人と共同執筆していた。そして一八二一年、向かいのお屋敷のベルニー夫人（一七七七―一八三六）に子供たちの家庭教師を頼まれた。ロール・ド・ベルニーは元伯爵の夫人で、父親は宮廷音楽家として、マリー・アントワネットのハープ教師をつとめた人物であった。バルザック青年は、二十二歳も年上で孫までいる女性に惚れてしまい、猛烈なアタックをかけてものにする。以後、彼は何人もの女性に恋をして――年上の女性が目立つ――、興味津々の恋愛書簡を多数残すことになる。バルザックにとっては、愛する女性の存在が、創作のエネルギー源でもあった。

小説の世界でなかなか芽が出ないので、とりあえずビジネスでがっぽり稼いでから、安心して文学に専念しようと思って、実業の世界に色気を出す。一八二五年、ラ・フォンテーヌやモリエールの全集を企画している書籍商ユルバン・カネルの誘いに乗って、出版社を設立すると共同経営に乗り出すのだ。友人や愛人のベルニー夫人などが資金を援助してくれた。バルザックには楽天的なところがあり、成功ばかりを夢見ては妄想をたくましくしていく。そんな性格をよく知る末妹のローランスが、手紙でこう忠告した。

オノレ兄さん、なんだか三つ四つ、商売をするんですって？　そのことが頭にこびりついて離れないの。作家には文学の女神がついていれば十分なんです。（中略）ビジネスなんか、若いうちからよくわかっていないとだめですよ。（中略）もっと悪いのは、兄さんは、この三つ四つの商売の舵取りを、ひとりでできないことよ。これほど儲かる仕事はないって、兄さんに思わせてしまう連中といっしょなんですものね。で、兄さんの想像力は例によってふくらんでいって、三万リーヴルの不労所得が入る自分の姿を思い描いてしまうのよね。兄さんは人がよくて、まっすぐな性格だから、他人のずるがしこさに無防御なのよね。（中略）オノレ兄さん、事業がうまくいって、一財産築いた兄さんよりも、わたしは、一文無しでも、五階の芸術家の部屋で、書きかけの原稿や、やりかけのまじめな作品の山に埋もれているあなたのほうがよっぽど好きなんです。

（一八二五年四月四日）

けれども、妹の心配をよそに、バルザックは小さな活字で二段に組み、挿絵も入れた全集の刊行にのめり込んでいく。「縮刷版」というアイデアはかなり斬新なものであったものの、予約も売れ行きも思わしくなく、借金と在庫だけが残った。兄の短慮を諫めてくれたローランスも二十四歳の若さで病死、さすがのバルザックも一時はひどく落ちこんだ。

だが、失敗に懲りて実業の世界から足を洗うどころか、彼は逆を行った。一八二六年には、借金して印刷所を買収し、ベルニー氏のコネを使って印刷業者の免許を取得して、印刷業を始めたのである。それだけではなかった。印刷・出版業全体に手を広げて、ベルニー夫人の出資で活字の鋳造にも乗り出した。株やギャンブルの世界によく見られる、のめり込むタイプの人間なのであって、そのアイデアは先見の明にあふれている。しかしながら、そのアイデアを次々と実行に移そうとしてことを急ぎすぎたのか、印刷・活字鋳造のいずれもうまく立ち行かずに、資金繰りは悪化してしまう。この間、彼は債権者の追及を逃れるべく、義弟名義で借りた部屋に身を隠す。結局、一八二八年に、いとこの判事の手を煩わせて会社を精算することになる。会社の資産を売却しても差し引き六万フランの負債が残り、これを家族とベルニー夫人に肩代わりしてもらった。仮に一フラン千円で換算すると、六千万円の借財ということになる。大金を投じて制作された活字見本帳が残されているが、まさに潰えた夢の形見といえよう。こうして死ぬまで続くことになる借金人生の幕が開く。この頃、彼が父親の知人に宛てた書簡を読んでみよう。

拝啓、その規模があまりにも大きすぎて、この事業を立ち上げ、維持していくにあたって、多くの人々が予想し、わたし自身も危惧していたことが、ついに起こってしまいました。（中略）しかしながら、わが母の献身と、わが父の優しさのおかげもあり、わたしの財産と両親の財産を犠牲にして、われわれは［共同事業であることを示す］名誉と名前を救うことができました。事業を精算し、借金を完全に支払ったのです。わたしはもうすぐ三十歳になりますが、根性と汚れなき名前は失われてはおりません。

将軍、わたしとしては、この悲しいできごとの前に、わたしの新たな決意から生まれた状況についてお知らせしたいのです。わたしは再びペンをとるつもりです。

大鴉《おおがらす》やガチョウのように俊敏に翼をはばたかせて生きぬくことで、母親に借金を返済しなくてはいけないのです。

（ポムルール将軍宛、一八二八年九月一日）

三　読者公衆から作品の対価を

こうして、ペンの力で稼いで借金を返すしかないと初心にかえったバルザックは、一八二九年、《人間喜劇》に収められる最初の小説『ふくろう党』（ブルターニュ地方での反革命運動が主題）を出版（初版千部、原稿料は千フラン）、これは売れなかったものの、やがてジャーナリズムの分野で活躍し始める。《パリ評論》《両世界評論》《カリカチュール》といった雑誌に、雑文や小説を書きまくるのだ。とはいえ彼は、ただ書きなぐったわけではない。当時の文学を取り囲む環境――つまり「文学のエコロジー」である――の変容について、きわめて自覚的にふるまっていることを忘れるべきではない。

たとえば、一八三〇年三月には、書評中心の週刊誌《フユトン・デ・ジュルノ・ポリティック》を創刊している。その後「新聞王」と称せられるエミール・ド・ジラルダン（一八〇六―八一）を含む、四人による共同出資であった（資本金十万フランのうち、バルザックは一万フランを引き受けた）。ここに掲載された「書籍業の現状について」という評論における、非常に鋭い現状分析は注目にあたいする。まず冒頭、「書物の商いは、今日では穀物の商いと同様に、高い必要性に支えられている。普通にものを食べ、衣服を着て、家に住むことができる人間にとって、もっとも強烈な欲求とは知性を拡大させることなのだ」（バルザック『グランド・ブルテーシュ奇譚』宮下志朗訳、光文社古典新訳文庫、二〇〇九年、所収。以下、同様）と述べて、彼は精神的な糧としての「本」の役割を、人間にとっての主食である「穀物」になぞらえる。「本」という心の糧を求める気持が、人々のあいだでますます高まってますますというのだ。そして、こう語る。

昔は長時間の労力を費して書かれた著作は、ヨーロッパ（エウロパ）に捧げられて〔「エウロパ」という女神として擬人化されている〕、王侯君主がその報酬を作者に支払っていたのであり、作者は書籍商には、原稿を渡していた。原稿を買い取る人間など、稀にしかいなかった。（中略）ところが、この五、六〇年で、作家は、宮廷での仕事、年金の受給、ルーヴル宮への居住、王侯貴族の教育といった束縛から解放されたのだ。そして読書は、人々にとって必需品のひとつとなった。（中略）ヨーロッパ人の想像力は、読書が文学に求める感覚的刺激によって育まれるのだ。啓蒙の光の広がり、教育費用の低下、コミュニケーションの高速化といったものが、書物の生産をごく当たり前のことにした。（中略）したがって、作家にとって国王の金庫から手当を頂戴するよりも、読者公衆から作品の対価を受け取るほうが、より高貴なこととなったのも納得できる。書物が莫大に消費されることで、出版業・書籍業の重要性は大いに高まったのであり、とりわけ王政復古〔一八一四年〕以後、出版・報道と民衆の関係はすっかり変わったのである。

バルザックの考えを整理してみる。教育の普及等によって識字率が上昇し、読書行為が一般化しつつあるのだという現状認識がまず示される。そして、かつては「王侯君主が、その報酬を作者に支払っていた」、つまりパトロン・システムが成立していたが、芸術家は、そうしたお抱え身分から解放されて、これからは自らの翼で飛翔しなくてはいけないというのだ。つまり、作家が、一般読者に作品を購入してもらうことで創作行為の報酬を得るシステムが誕生したというのである。「出版と民衆の関係がまったく変わった」という表現は、作品と書店や貸本屋も含まれる市場（マーケット）を媒介として、作者と不特定多数の読者が対峙する新しい状況が立ち現れたことを意味している。バルザックは、「市場の芸術家」（思想家ヴァルター・ベンヤミンの表現）の時代の到来を見通していた。つまり、「諸君は多数派だ、数と知性だ。したがって諸君は力であって、力こそは正義だ」（「一八四六年のサロン」）とブルジョワジーに向かって言い放った詩人ボードレール（一八二一-六七）の憂鬱にして皮肉な言説を、明らかに先取りしているのである。

四　三つの弊害

《人間喜劇》の作者は、精神的な糧としての書物というイメージを押し進めると、こうも述べる。

結局のところ、一巻の書物がまさにまったくパンと同じように製造・販売され、著者と消費者のあいだに本屋以外の仲介者が入らないような状況にする必要があるのだ。そうすれば出版という商売は、もっとも確実な商売になるにちがいない。（中略）著者はより多額の作品報酬を受け取れるし、読者はより安く作品を手に入れら

（「書籍業の現状について」）

れる。

書物は、パンのように消費者＝読者の手に直接に届けられることが望ましいのに、「生産と消費とのあいだにいかなる等比関係（アナロジー）も存在しない」のが現状ではないかとして、聖なるパンの正常な流通が阻害されている原因を、バルザックは三つ挙げる。1．手形決済の横行、2．「読書室（貸本屋）」というレンタルシステムの弊害、3．内外の海賊版という不法な出版行為である。

1．の手形での決済だが、紙幣がまだ十分に普及していない時代にあっては、やむをえぬ面もあったものの、書物取引の世界では十八か月先などという長期払いの手形が横行して、業界を無秩序状態におとしいれていた。当時の出版と印刷の世界を主題とした大長編『幻滅』（一八四三年）にも、こうしたいかがわしい「手形割引人」が登場して、作家志望の主人公リュシアンがやっと手にした五千フランの手形は、わずか千五百フランにまで割り引かれてしまう。とはいえ理不尽な「手形決済」による業界の混乱は別に出版業にかぎらぬ現象ゆえ、ここでは2．と3．の弊害を取りあげたい。バルザックは別の評論でこう具体的に指摘する。

フランスの書籍業の三分の一は外国でつくられた海賊版の仕入れで成立しています。（中略）フランスの本屋が、「読書室」という、われわれの文学を殺す店に、あなた方の本を一生懸命苦労して千部ほど売りさばいている時、ベルギー人はヨーロッパの金持ち階級にそれを二千部も売っているのですよ。文学好きの優雅な若者たちは、ベルギー旅行から帰ると、彼の地で六フランで買い求めたヴィクトル・ユゴー全集を誇らしげに披露する始末。この手紙が掲載される雑誌《パリ評論》にしても、本物よりも海賊版の方が、予約購読者数が多いのですからね。わが国には税関があるというのに！（中略）あなたの作品だって、公共領域に入ってしまっているのですよ、まるであなたがもう死んでしまったかのようにね。（中略）最近、ラムネ氏が『信者のことば』という本を出版しました。ところが版元は五百部しか送ってないというのに、南フランスではなんと一万部も売れたとのこと。なんと、トゥールーズで海賊版が刷られていたのです。

（「十九世紀の著作家たちへの書簡」）

五　読書室と海賊版

「読書室」が「われわれの文学を殺す」とはいかなることだろうか？　まず、「読書室」とはなにか？　これは日本でいえば「貸本屋」に相当する「レンタル・ショップ」なのだが、ヨーロッパの「貸本屋」は読書ルームを備えていて、料金を払ってそこで本を読むというのが基本的なシステムであった。一説によると、イギリスの有名な温泉地バースが「読書室」発祥の地とされているけれど、たしかに長期滞在の湯治客にはこうした施設があれば便利であったにちがいない。十九世紀前半のフランスではこの商売が大繁盛していて、最盛期には、全国でおよそ千軒（バルザック自身は千五百軒という数字を挙げているのだが）、首都パリだけでも五百軒ほどがひしめいていたという。「読書室」といっても、ほとんど新聞だけの立ち読みスタンドのごとき店舗から、何万冊の本が棚にずらっと並ぶ、ちょっとした図書館のような店まで、その規模はピンからキリまでだった。本の品揃えも、たとえばカルチエ・ラタンの「読書室」では学術書も揃えているなど、その界隈の顧客に応じて多様であった。もちろん、本を借りて帰れる店もあって、奥様に頼まれて、女中がロマン派の小説を借りに来たりしていたのだ。

図8–2　パリの「読書室」

「読書室」の林立には、それなりの理由があった。本の価格が高いことが一つ、そして公共図書館がまだ民主化されておらず、概して閉鎖的であったことだ。公共図書館は数が少ないばかりか、開館時間も極端に短かった。たとえばリシュリュー街の国立図書館が一般開放されるのは火曜日と金曜日の二日間だけ、それも十時から十四時までにすぎなかった。読書人口の急増に公共インフラが追いついていなかったということだ。しかも、小説中心の「読書室」に行けば、スコットの歴史小説やゴシック・ロマンスの翻訳からサドなどの「危険な書物」まで読めたのだから、人気を集めるのも当然だった。

出版社側は、「読書室」に確実に捌ける六百部から七百部を発行部数の基礎として、個人の購入には三百部ほどを見込んだ。こうやって書物の価格を高めに設定して、合計で千部ばかり刷れば採算がとれるように算盤をはじいていたのだ。紙の技術革新も——これは小説『幻滅』の主題でもある！——いまだ途上であったから、書物の価格は高値になりがちだった。商品が高価格であることは、レンタル業繁栄の必要条件ではないか！　逆に、本が安くなれば、個人は購買行動に走ってしまう。要するに、版元と「読書室」とは持ちつ持たれつで、書物の高値安定をはかっていたことになる。

こうした弊害のせいで、潜在的な読者数が大幅に増加しつつあるのに、小説の印刷部数は千部余りで頭打ちとなったままで、「われわれの文学を殺している」とバルザックは告発しているのだ。著作者の側からすると、「読書室」で小説が人気を集めて、多数の読者の手垢でまみれたとしても、作者の懐がいささかも潤うことがないのは不条理だ、一冊分の価格で多数に読ませるのは、「著作権」の侵害ではないかという理屈なのである。ある意味で、当然の考え方であり、その後、レコード、CD、映画のDVDと、文化的商品は変わっても、複製・二次使用をめぐってさまざまな問題が提起されて、法的な整備がなされていく。バルザックはいち早く、複製文化に内在する著作権等の問題・矛盾を指摘して、行動した作家にほかならない。

そして、もうひとつの弊害が海賊版であった。版元と読書室の結託によって、利潤を最大にすべく、価格と部数が決定されていたとすれば、市場がそれにつけ込むのは自然な流れである。「文学」が低価格ならば購入しようという潜在的な読者層の需要を、海賊版が掘り起こした。ベルギーの海賊版業者は、小さな活字でぎっしり組まれた一巻本を、三フラン程度の安い値段で発売した。この「縮刷版」、フランスでもよく売れたという。「ベルギー印刷協会」というもっともらしい名称の出版社が、フランスの小説などの海賊版づくりに邁進した。バルザックは『谷間の百合』（一八三六年）に関して、版元のヴェルデが二千部刷ったうち千二百部しか売れていないのに、海賊版が三千部も売れていると憤慨している。

連載小説の単行本化でもベルギー側が先手を打ったから、パリの読者よりもブリュッセルの読者のほうが単行本を早く手にできるという奇妙な現象も生じている（現在でも、盗撮した映画の新作が封切り前にネットで流れたりするのと似ている）。おまけに、当時のフランス国内は検閲が厳しかった。たとえば、民衆詩人ベランジェの詩集は発禁処分になった。でも、ベルギーの海賊版で読むことができる。作者が自主検閲した個所も、海賊版なら復元してくれるから、むしろベルギーでの出版を歓迎する作家も存在した。こうした皮肉な現実が存在することも忘れてはならない。

いうまでもないが、まだ「著作権条約」は存在せず、ベルギーの出版業者が法律を侵しているわけではない（十九世紀半ばには、フランス・ベルギー両国の合意がなされて、海賊版は違法となる）。それにフランスだって、英語やドイツ語の作品の海賊版を制作していたし、先ほどの引用のごとく、国内でも海賊版が刷られていた。

六　民主化闘争――「ブッククラブ」、「文芸家協会」

読書の民主化の世紀を迎えたのに、それを支えるシステムが整わず、矛盾が噴出しているという現実。作家の正当な権利が保護されていないことに、バルザックは義憤を覚えていた。芸術家には「屋根裏部屋とパン」さえ与えておけばいいという、ロマン主義的なアナクロニズムではだめだ、なにかしなくてはと彼は考えた。

作家専業となっても、出版のデモクラシーのために行動しようという彼のパトスは衰えてはいない。そして彼は、「著者と消費者のあいだには、書籍商以外の仲介者がいてはならない」(「書籍業の現状について」)という考えから、一歩先に踏み出した。書籍商という中間の夾雑物を排除して、「生産」と「消費」とを直結すれば、作家も読者もWin-Winの関係を築けるのではと考えた。これが小説を「ブッククラブ」でというアイデア、つまり本の直販システムである。この画期的な会員権商法、千五百部印刷して、会員を千人集められれば、十分な利益が出るとの皮算用であった。しかしながら結局は、出資予定者が次々と抜けてしまい、実現せずに終わった。そしてバルザックが書いた趣意書だけが、空しく残された。

鵜匠よろしく、いくつもの小説を書き進めながらも、彼の闘争心と金銭欲はまだ失われない。一八三五年には、新聞事業で一発当てようとして仲間と新会社を設立、《クロニック・ド・パリ紙》を買収して、自身も『骨董室』『ファチノ・カーネ』などを執筆・掲載している。けれども、結局は破産の憂き目にあって、四万六千フランの損失をこうむる。もしもバルザックが二十一世紀というインターネットの世の中に生きていたならば、きっとAmazonのようなネット商法の先駆者となったような気がする。ただし、成功したかどうかはわからないが。

《人間喜劇》の作者は、出版と読書の民主化闘争の担い手でもあった。「読書室」や

「海賊版」といった「著作権」を侵害する存在と戦うには、作家たちが団結して自分たちの権利を確立すべきだとして、訴えた——「われわれの救済は、われわれ自身のうちにある。(中略)われわれが集結して、劇作家たちがすでに作っているような、ひとつの協会を作ることは、われわれ全員にとって大いに利益になることなのだ。(中略)われわれのような芸術家・作家だけが、共通の絆がないままなのだ」(『十九世紀のフランス作家への手紙』)と。事実、劇作家たちは、ボーマルシェ(『フィガロの結婚』などで知られる)の尽力で、早くも一七七七年に「劇作家協会」を設立、紆余曲折はあったものの、興行成績に応じた収入システムを確立していたのである。こうして一八三八年には「文芸家協会」が設立されて、バルザックは二代目の会長として、著作権の確立、とりわけ作品の無断転載を防ぐために奔走し、法廷闘争も行っている。

「ブッククラブ」という新商法も「文芸家協会」も、バルザックにとっては同根であって、出版と読書のデモクラシーを実現する手段にほかならなかったのである。

七　背水の陣、《人間喜劇》と「人物再登場」

それにしても、小説のなかではビジネスの世界をあれほどみごとな筆致で描き出した彼も、実業の世界にわが身を身を投じたとたんにあの天才的な直感力・判断力はすっかり影をひそめ、夢想に引きずられて失敗を重ねるしかなかった。

こうして、度重なる民主化闘争に敗れて土俵際に追いつめられたバルザックにとっては、コーヒーをがぶ飲みしながら、小説の執筆に邁進《まいしん》するしか手段はなくなった。「わたしの人生は、はなはだ蒸気機関車みたいな人生となっております。きのうも仕事、今日も仕事、いつも仕事ですが、なかなか成果はあがりません。一八三六年が始まり、わたしももうすぐ三十七歳になります。支払いに充てる五万フランをかき集めるには、まだ半年あるというわけです」（一八三六年一月十八日、ハンスカ夫人宛書簡）といった日々を余儀なくされたのである。一八三五年には、債鬼をのがれるべく、偽名で仕事部屋を借りているし、パリ十六区にある、彼が一八四〇年から一八四七年まで住んだ屋敷は、現在「バルザック記念館」として公開されているけれど、表の入り口が三階、裏口が一階という構造になっている。借金取りや執達吏が来たら、一階の裏口から逃げ出せるように

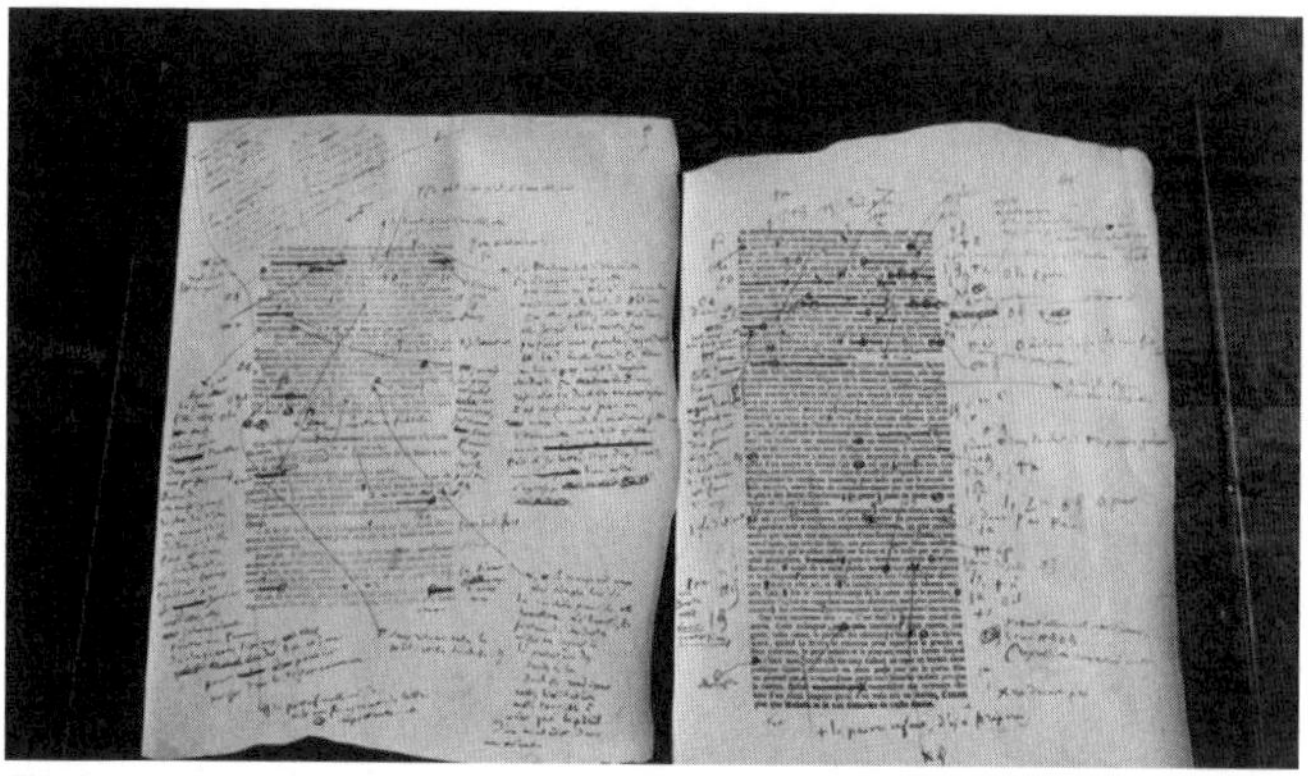

図8-3　バルザック特注の余白のあるゲラと膨大な加筆訂正（バルザック記念館）

との作戦であった。

作家の権利のための戦いを続けて、さまざまのトラブルを抱えながらも、バルザックは不眠不休で書き続けた。平行して何本もの小説を必死に書き進める彼にとって、強力な武器あるいは苦肉の策となりうるのが、すべての作品が《人間喜劇》という大河に流れこんでいくという、彼の小説の構想であった。このシステムならば、機械にたとえると、部品の交換や調達が相互に可能となる。その代表的な手法が「人物再登場」だといえそうだ。年齢や身分は変わっても、同一人物を別の物語空間に浸入させることで、《人間喜劇》という虚構空間は複雑にして壮大なものに変容していった。このアイデアが閃いたとき、作家は「ぼくは天才になろうとしているんだ」「石が巨大な建物になるんだ」と、妹ロールに叫んだという（ロール・シュルヴィル『わが兄バルザック』一八五八年）。

この手法が意識的かつ系統的に使われたのは、『ゴリオ爺さん』（一八三五年）からといわれるが、この傑作長編では、それ以前に書かれた『赤い宿屋』のタイユフェール、ランジェ公爵夫人（『ランジェ公爵夫人』）、『捨てられた女』のボーセアン夫人などが、ちらちらっと、さまざまな形で「再登場」する。『ゴリオ爺さん』の主人公の学生ラスティニャックは、その後『幻滅』『娼婦の栄光と悲惨』などで、重要な脇役を演じて、『アルシの代議士』（未完）では、二度も大臣を勤めた貴族院議員の伯爵へと成り上がっている。パスタ製造業者のゴリオ爺さんは、蓄えた財産で、次女を銀行家のニュシンゲン男爵に嫁がせるが、『娼婦の栄光と悲惨』では、老いた男爵が娼婦のエステルに入れあげる。ラスティニャックの親友の医学生ビアンションに至っては、やがて医師となり『あら皮』の主人公ヴァランタンの治療に当たるかと思えば、『幻滅』では、決闘で負傷したリュシアンを治療、また『従妹ベット』ではユロ男爵夫人の主治医となるなど、合計二十九作品に登場し、『田舎医者』では、功成り名遂げて科学アカデミー会員に登りつめている。「人物再登場」という手法のおかげで、バルザックの小説は、次々と読破していくほどに、読者は《人間喜劇》の小宇宙のなかにのめり込むという仕掛けとなりえている。

こうして、傑作の数々を世に送ったバルザックであったが、長年の無理がたたったのか、心臓肥大症をわずらい、五十歳そこそこで世を去る。文豪バルザックの「メディア戦記」は終わりを告げたのだ。しかしながら、バルザックという作家の生きざまから、われわれは、作者と読者が向かい合う市場《マーケット》という近代の問題に関して、さまざまの教訓を引き出すことができる。

◉第九章

文学と金銭

フロベールのジレンマ

パトロン制度という保護のシステムから抜け出して、自由を獲得した作家という名の芸術家たち。けれども、彼らはその代償として読者マーケットでの勝負を余儀なくされる。では、この「市場」の「芸術家」とは、それ自体が矛盾した存在なのであろうか？それとも、「市場の芸術家」であることが、真の芸術家の存在証明なのであろうか？いずれにせよ、近現代の作家・芸術家たちはジレンマに立たされたはずだ。「金銭」と「文学」のどちらを選ぶのか？　いや、「金銭」と「文学」とは、両立可能なものなのか？　このような問題意識を胸に秘めて、彼らは作品を活字にして、読者市場に送り出していった。

ここでは、「金銭」と「文学」との板挟みになって、ある意味では矛盾した「道化師」のようなふるまいを演じた文豪について、興味深い書簡などを紹介しながら論じてみたい。

一　注文の多い小説家

この作家のふるまいは、一見して風変わりなのである。たとえば、次のような逸話が残っている。彼の最初の小説の出版をめぐって、二人の出版者が名乗りをあげたという。その一人は「あなたの作品はすばらしいですよ。なにしろ文章が彫琢されていますからね」とほめたという。ふつうならば、作家は喜んでうなずくところだ。ところがこの作家ときたら、ふいに怒りだして、こう言い返したという。

彫琢されてますだって！　出版社のくせに傲慢でしょうに。本屋がわれわれから搾り取るのはいいとしても、われわれを評価する権利などないのです。レヴィはわたしの本についてはひとこともいわなかったから、常々ありがたく思っているんです。

（ゴンクール『日記』一八六一年四月二十八日）

作家の名前は、ギュスターヴ・フロベール（一八二一-一八八〇）という。ある小説とは、「姦通小説」として有名な『ボヴァリー夫人』（一八五七年）を指す。そしてレヴィとは、フロベールと同年生まれでユダヤ系の出版者ミシェル・レヴィ（一八二一－七五）のこと。「沈黙は金なり」というごとく、『ボヴァリー夫人』の評価について黙っていたおかげで、その版元となって大儲けする（後述）。こうして当分のあいだ貸本屋の息子であったレヴィがフロベールの版元となるのだけれども、フロベールのひねくれた物言いからも予想が付くように、両者は小説の出版契約をめぐって、それこそ虚々実々の駆け引きを繰り広げていく。交わされた書簡などをつぶさに読んでいくと、大変に面白いのである。

図9-1　1869年頃のフロベール（ナダール撮影）

ブルジョワジーの世紀の凡庸さをアイロニカルに描きだしたところの文豪フロベールは、高邁な精神と卑俗な心とを合わせ持つ矛盾した存在であった。もちろん、人間だれしも多少はそうしたところがあるに決まっているし、矛盾こそが人間らしさの証左であるにちがいない。ところが、フロベールで興味深いのは、潔癖ともいえる精神が、むしろ傲慢不遜なというか、つっぱった態度として表れることだ。とりわけ出版契約にまつわる場合に、この傾向が著しい。それを検証してみよう。

二 「買い取り」と「印税」

出版の対価としての報酬には、大別すると、「買い取り」と「印税」という二つの方式が存在する。現在では、わが国を含めて、「印税」すなわち定価や発行部数に比例する報酬を支払うシステムが一般的であろう。しかしながら、フロベールが作家活動を行った十九世紀半ばには、まだ「印税」システムが確立してはいなかった。「買い取り制」、すなわち一括払い方式も根強く生き残っていたのだ。この一括払いの場合は、その作品が売れるか売れないかもわからない段階で報酬を決めてしまうのだから、両者の交渉や駆け引きの余地が大きいし、ギャンブル性が強かった。

今日では、「買い取り」システムはほぼ過去の遺物となり、わが国でも例外的かと思われる。なるほど、雑誌掲載時の原稿料には、作家の格付けや実績が反映されて、ノーベル賞作家や人気作家ならば、一枚（四百字）あたりの原稿料はかなり高額なのであろう。けれども、単行本化にあたっての「印税」は、一冊について定価の十%前後というところかと思われる。ひょっとすると文壇の大御所の印税率が十五%といった事例が存在する可能性もあるが、それだって、売れずに初版で終わってしまえば、それまでの話だ。要するに、現代では、作家の収入は原則的に、作品の人気と売れ行きという市場原理にもっぱら委ねられていると考えていい。

ところがパトロンの時代がようやく終わりを告げて、いわば文学の市場開放が始まったばかりの十九世紀のフランスでは、作家とお金との関係、より広くいえば芸術作品とその金銭・対価との関係は、いまだ微妙にして曖昧なものなのであった。この曖昧な領域において、フロベールは「辻芸人」ぶりを発揮する。

三 『ボヴァリー夫人』の予期せぬ成功

ぼくはこの二十年間、童貞を守っているんですよ。読者にそれを捧げるならば、いっぺんに丸ごとすべてを捧げるべきで、さもなければずっとなしでです。それまでは、大切にしておくのです。その後は、「いかなる新聞にも」書くまいと心に誓っています——たとえ『両世界評論』に載せましょうといわれても、いやです。ぼくはどこにも所属したくない、いかなる団体や協会であれ、いかなるアカデミーであれ、メンバーになる気はありません。群れることとか、規則や基準が大嫌いなのですから。

(ルイーズ・コレ宛、一八五四年一月二十三日)

フロベールが愛人でもある女性作家に宛てた手紙である。著名な医学者の長男として生まれながら、パリ大学法学部を中退、定職につくこともなく、故郷ノルマンディで文学に専念する彼は、作品の推敲をはてしなく続ける日々を送っている。最後の瞬間まで「童貞を守る」という表現は、途中で部分的に雑誌掲載するなどもってのほか、擱筆《かくひつ》後も雑誌掲載を経ることなく一挙に単行本で出す、つまりは完全な「書き下ろし」の形で公刊するのが、文学のあるべき姿だという強い信念を物語っている。そんな彼だから、ジャーナリズムにも文壇にも交わるつもりはなく、孤高の芸術家でありたいと願っている。けれども、作品の推敲は無限に続きかねない。「この小説は、いくらうまく書けたとしても、ぼくの気に入るはずがないのです。全体の姿がはっきり見えてきた今でも、嫌悪感を覚えるだけなのです」(ルイーズ・コレ宛、一八五三年十月二十五日)という告白は、理想の作品は永遠に到達不可能なのだという強迫観念の裏返しでもあろう。と同時に彼は、

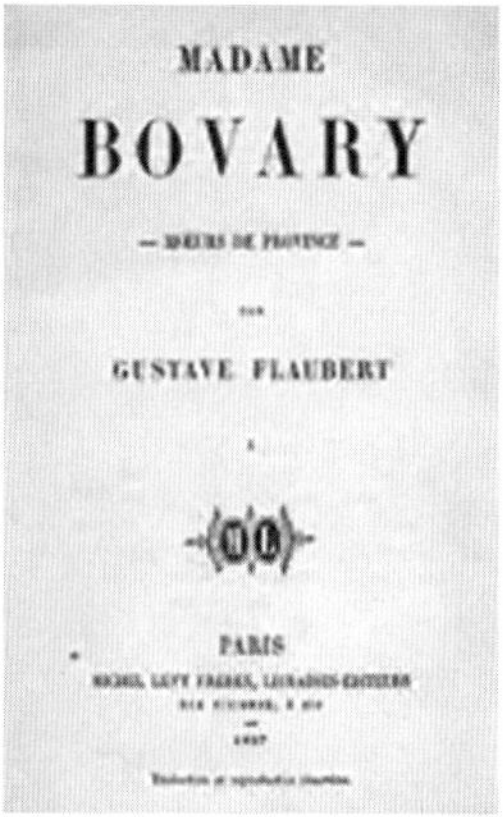

図9–2　『ボヴァリー夫人』初版
（1857年、ミシェル・レヴィ）

作品を世に問うことによって、プライドが傷つけられることを危惧してもいる。「群衆は、つねに優れた直感を有している」（『紋切り型辞典』）とも、感じているのだった。

そうはいっても、いつかは、いやでも原稿を自分の手元から離して、出版社に渡さなけば、作品が生命を授かったことにならない。

そこで三十六歳にして、満を持して最初の小説『ボヴァリー夫人』を世に送った。版元は、先ほどのミシェル・レヴィで、初版は六千部、定価は二フランであった。ところがである。「たとえ『両世界評論』に載せましょうといわれても、いやです」と断言していたにもかかわらず、実際は、友人にせがまれて、出版に先立って数度にわたり、小説を雑誌『パリ評論』に掲載したのだ。すると、いくつかの場面がわいせつだとされて――現在から見ると、信じがたいけれど――、風俗壊乱罪で裁判沙汰となってしまう。有能な弁護士セナールの弁護により無罪判決を勝ち取るのだが、こうやって巷の話題を集めたおかげで、この姦通小説は、その後の五年間で、なんと三万部近くも売れた。遅咲きの作者は、一躍にして文壇の寵児となった。

では作家は、レヴィから原稿料をいくら貰ったのだろうか？　原稿の買い取り制で契約したから、八百フラン受け取っただけなのだ。印税方式の場合だったらと、皮算用をしてみよう。新人作家だと印税率はせいぜい十％程度だろうが、定価が二フランだから、初版だけでも、六千部×〇・二フラン＝千二百フランになるはずではないか。ところが作家は、裁判で評判が過熱する前に、ぽんと八百フラン受け取ってしまった。すでに損をしているけれど、後の祭りである。おまけに、話題を集めて、三万部も売れたわけだから、作家としても冷静でいられるはずもない。印税にしておけば六千フランも懐に入った計算になるではないか！『ボヴァリー夫人』が予想外に売れて、レヴィは後から五百フランのご祝儀をくれた。それでも合計千三百フランにしかならなかった。フロベールは、雑誌掲載料だけで二千フランせしめているというから、単行本収入はそれにも及ばなかった。『ボヴァリー夫人』に専念した、足かけ六年間の刻苦の成果が、たったこれだけか。作家は、こんなふうに思って、悔しさを噛みしめるしかなかった。

G. Flaubert
Mme Bovary.
Salammbô.

図9–3『サランボー』に関するフロベールとレヴィの契約書より

四　いかにして『サランボー』を高く売るか

それから五年たって、北アフリカのカルタゴを舞台にした歴史小説『サランボー』が、ようやく脱稿した。そこでフロベール、前回は結果としてずいぶん損したから今度はたっぷり稼がせてもらうぞと、闘志を秘めて出版契約というリングにのぼった――それもできることなら前回と同様に、原稿なんか読ませずに売りつけてやりたいと思った。自称「ペン人間」の気持ちが、痛いほどよく分かるではないか。この小説家の卑劣さや傲慢さというのは、純粋さの裏返しにほかならない。彼は、友人ジュール・デュプランの弟で公証人をしているエルネストに版権交渉をゆだねて、駆け引きを開始する。ありがたいことにわれわれは、この交渉の成り行きを書簡からうかがい知ることができる。興味深いものを拾い読みしてみたい。まず作家は、フロベール家御用達の公証人に交渉を委任した次第を、版元のレヴィに告げる。

サン＝トノレ通り一六三番地のエルネスト・デュプラン氏（わが公証人です）のところまでお運びください。わたしの気持を、わたしがなにを望み、なにを望まないのかは、彼が完全に承知しておりますから。彼とうまく折り合いをつけてくだされば、あとはわれわれの契約書にサインするだけです。

親愛なるミシェル、あらかじめ申しておきますが、あなたはわたしの要求が法外だと思うにちがいありません。しかしながら、この著作『サランボー』には五年間も要したのですし、取材旅行などの費用に、少なくとも四千フランはかかっているということを考慮していただきたいのです。わたしは文学で養ってもらおうなどと、厚かましいことは考えてはおりません。ですが、文学で破産することだけは避けたいものですから。

（ミシェル・レヴィ宛、一八六二年五月三十日）

実際にフロベールは、一八五八年に二か月ほどをかけて、チュニジア、アルジェリアに「取材旅行」を敢行しているのだ。こうして作家は、高くふっかけますからねと予告をおこなう。そして、もうひとつ、肝心な条件があって、それは、とにかく『ボヴァリー夫人』で儲かったのだから、『サランボー』に対しては、つべこべいわずに金を払ってほしいということだった。この点について、友人に書いている。

きっと小生の公証人は、わたしが気でも狂ってるのかと思うでしょうね。でも彼は、次の点をよく考えていないのです。レヴィは原稿を読めば、どう思ってもようとも、けちをつけますよ。そうなれば、こちらも憤慨して、別の出版社に話を持っていくこともできます。でも、この出版社だって、具体的に知りたいというでしょう。第三、第四の出版社だって、同じでしょう。どうして、わたしに不利となる異例なことを、受け入れなくてはいけないのです？　だって、文学で名が売れたら、「猫は袋に入れたまま売る」のが慣例でしょうが。

（ジュール・デュプラン宛、一八六二年六月十五日）

「猫を袋に入れたまま売るvendre chat en poche」という表現は、「商品を見せずに売りつける」という意味の熟語である。フロベールは、歴史小説『サランボー』という売れそうにない猫を、袋に入れたまま売ってしまいたかった。裁判沙汰というスキャンダルのおかげで売れた『ボヴァリー夫人』の勢いを、今度の小説の売却交渉に持ち込んで、なんとかして高値で買わせたかったのである。一方のレヴィは、したたかな商売人なのであって、冷静に考えるならば、『ボヴァリー夫人』を読まずに出版を引き受けたわけがない。雑誌『パリ評論』であらかた読んでいたにちがいないのだ。したがって今度のカルタゴ物も、本当は、原稿を読んで印刷部数を決めて、支払いは印税方式にしたかった。その方が安いのは目に見えているのだから。

かくして両者はそれぞれの思惑を秘めて、金額や条件をめぐっての交渉がおこなわれる。一八六二年の六月から七月にかけてのドラマである。ここでは、そのハイライトをなす、代理人エルネスト・デュプランへの手紙を抄訳しておきたい。具体的な細部に及んでいて、とても興味深いのである。

友よ、あなたのおかげで交渉は順調に開始されました。期待しています。しかしあなたの判断を仰ぎたいことがらがあります。

一、レヴィに原稿を読ませるのは賢明とは思われません。版元は、印刷するつもりの作品なら絶対に読んだりしませんよ。わたしが『ボヴァリー夫人』についてレヴィと話をしたときには（当時、わたしはまったく無名でした）、読んでくれと申し出ました。でも彼は、「その必要はない」といって、わたしの申し出を断ったのです。いいですか、レヴィは、『サランボー』を買うつもりなど全然ないのです。わたしの最初の出版物〔『ボヴァリー夫人』〕が二番目の本〔『サランボー』〕に与える「商品価値」を買うだけなのです。

彼がわたしの原稿を悪用するとは思いませんが、次のようにことが運ぶのではないでしょうか。本音がどうであれ、彼はまずわたしの作品を大いに称賛しておいてから、すかさず「でも、これでは読者がつきそうにない」と付け加える。そして同業者のところで、わたしの小説をひとしきりこきおろす。そこで、わたしは根負けして彼の店に戻って、いいなりの条件で契約するという次第なのです。どう思いますか？

二、わたしが生きているかぎり、自著に挿絵は入れさせません。みごとな文学的描写も、さえない絵に喰われてしまいますから。絵筆によりひとつのタイプが固定されてしまうと、一般性という性質が失われてしまいます。（中略）絵に描かれたひとりの女は、ひとりの女に似ている。要するに、それだけのことなのです。書かれた女とは本来、無数の女を夢想させるものなのに、イデーはそこで閉じられて、完成されてしまい、いかなる文章も無用のものとなります。要するに、これは美学の問題なのですから、わたしは、いかなる挿絵も断固拒否しますよ。
三、翻訳や舞台化については、かなり柔軟に考えるつもりです。現在まで、わたしはひとつも翻訳を拝んではいませんし、最近のどの本にも、第一ページに麗々しく掲げられている「翻訳権保有」なる文句は、わたしにはきつい冗談としか、がっくりくるようなジョークとしか思えません。『ボヴァリー夫人』の英語訳は、わたしも検分したものがひとつありますが、それはとても優れた翻訳でした。そこで、ロンドンの出版社と交渉して刊行するように交渉してくれと、レヴィに頼みましたが、何の進展もなしなのです！（中略）

またレイエル［当時の作曲家・音楽評論家］とオペラについて契約らしきものを交わしています。『サランボー』を音楽にして、新しいオペラ座のこけら落としにするのは可能かと思います。レイエルは受けとった台本をそれほど気に入っておらず、「カルタゴ」［『サランボー』のこと］をオペラにというアイデアに魅せられています。ですから、音楽についてはレイエルのために取っておきますよ。
四、わたしとしては、一部いくらという印税よりも、定額でもらうほうがいいですね。そもそも、何部売れたかなんて、一体だれが証明するのですか？
五、金額については、譲歩してかまいません。二万五千から三万フランということではなくて、二万フラン要求してください。レヴィがどう出てくるのか、見物《みもの》ですよね。

以上をまとめると。次のようになります。挿絵については絶対に気持が変わることはありません。原稿を渡すのも、気が進みませんし、むしろ危険だと思っています。翻訳と舞台化については、検討の余地ありです。そして、版権の金額は、引き下げてもかまいません。（中略）八つ折り版で、百部を謹呈用に、そして二十五部は上質の梳き入れ紙で印刷するということは、話題に出ていますか？

（エルネスト・デュプラン宛て、一八六二年六月十二日）

この手紙を読むと、フロベールにとって譲れないのは、まずなによりも挿絵版の拒否であり、その次が、原稿を見せることであったと判明する。小説とは、あくまでも言語による構築物であり、挿絵は夾雑物以外のなにものでもないと考えていたのだ。「猫を袋に入れたまま売る」ことが、「印税」ではなく「買い取り」でという意志と連接していることはいうまでもない。作家は、売れ行きに自信が持てなかったにちがいない。「レヴィは原稿を読んだら、要らないといいますよ。そして、わが原稿はパリの出版社を次々とたらい回しにされる恐れが生じます。で、結局のところ、おめおめとミシェルのところに戻ってくるわけです」（代理人の兄、ジュール・デュプラン宛、同年七月五日）と書いているように、いったん原稿を見せたら、買いたたかれるに決まっていると思いこんでいるのだ。そこで、同じ手紙で、次のような秘策を披露する。

ですから、あらかじめ次のことを知っておかなくてはいけません。
1．「読まずに」レヴィがいくら出すかということ。この点について、あなたから返事をもらっていませんよ。
2．他の出版社にも当たって、読まずにいくら出すか聞いてみること。
3．ライバルの出版社がいるのではと、レヴィを疑心暗鬼にさせること。

作家としては、最終的には、今回もレヴィから出版する腹づもりであったと思われるが、『サランボー』という「猫」を「袋に入れたまま売る」ために、複数の出版社に競わせようとの魂胆であって、実際に、別の版元にも話を持ちかけている。こうした陽動作戦のおかげで、フロベールは次作は現代物の小説をとの一札を入れたものの、とにもかくにも『サランボー』という猫を袋から出さずして一万フランを獲得するのだ。出版契約の内容を整理しておく。

1.『サランボー』『ボヴァリー夫人』両作品について、フロベールの条件――挿絵の拒否など――を受け入れた上で、十年間の著作権料一万フランを支払う。
2.「現代物、つまり一七五〇年以前を舞台とはしない」小説を、一万フランで買う。
3.もしも「次作が現代物でない場合」にも、レヴィはこれを一万フランで買う「権利」を有するものの、それは「義務」ではない。
4.「次作が現代物でない場合」に、レヴィは買い取りを拒否できるが、その後の「現代物」に対する権利は失われない。
5.契約が満了する一八七三年一月一日以降、『サランボー』『ボヴァリー夫人』の権利はフロベールに移る。

それを伝える手紙が、またおもしろい。

けさ、あなたの手紙といっしょにブイエ〔詩人、フロベールの親友〕の手紙も受け取りました。ブイエはレヴィがわたしの条件を「すべて」のんだと教えてくれました。つまり、1．八つ折り判にすること。2．挿絵は入れないこと　3．原稿を読まないで、一万フランで買い取ること。以上です。

でも、お願いですから、この数字は表沙汰にしないでください。というのもレヴィは、『サランボー』の出版で派手に騒ぎ立てるつもりなのです。わたしから三万フランで買い取ったという噂を新聞に流して、自分の気前のよさを誇示する魂胆なのです。ですから「黙秘」していてください。わたしがすごくいい条件で、原稿を売ったのだとだけいっておいてください。

（アルフレッド・ボードリ宛、一八六二年八月二十三日）

ミシェル・レヴィという山師的な出版者が仕掛ける口コミの前宣伝の片棒を、自分もかつごうというのである。芸術至上主義者フロベールの意外な卑俗さが見てとれる。実際、この「三万フラン事件」は文壇の話題となり、フロベールの正体を見たとばかりに、ゴンクールが『日記』でこう書いている。

レヴィの相棒にでもなった気で『サランボー』に三万フランも要求して以来、フロベールの胡散くささがあらわとなった。外見は実に率直である性格の裏の面が見えてきて、わたしはこの友人に警戒心をいだいたのだ。彼は、真の文学者は作品のために一生涯働くべきであって、本の宣伝のことなど考えるべきではないと語っていたはずではないか。ところが、自作の売り込みで、かくも巧みな「辻芸人ぶり le saltimbanquage」を発揮するのを目撃してしまったのである。

(『ゴンクールの日記』一八六二年十月二十日)

五　フロベールとレヴィの「再婚」

ともあれ、契約がまとまり、レヴィは作家にこう書き送る。

親愛なるフロベール、きのうは、あなたに手紙を書く暇が一分たりともありませんでした。けれども、われわれの案件にけりがついて、わたしはどれほどうれしいかを、あなたにお伝えするのをこれ以上遅らせるつもりはありません。わたしたちは結婚したんですよね。というか、むしろ十年間ほどの予定で再婚したわけです。過去の経験から、双方ともに離婚する気持になることなど一瞬たりともないだろうと、わたしは確信を抱いております。

（八月二十四日）

「再婚」の意味は明らかであろう。『ボヴァリー夫人』の出版で「結婚」して、五年ほどの空白――作家にとっては執筆期間であったわけだが――を置いて、『サランボー』の出版で「再婚」したということである。「十年間ほどの予定で」というのは、『サランボー』『ボヴァリー夫人』の著作権が有効な十年ほどはおたがい仲良くやって、そのあいだに、現代を舞台とする次の作品も出しましょうねといったニュアンスであろう（現代物の『感情教育』は七年後の一八六九年に刊行される）。フロベールも、「再婚」を承知する返信を送る。

親愛なるレヴィよ、きみのいうとおりだ、ぼくらは再婚したんだ。夫婦円満にやりたいものだね。ぼくは九月七日から九日のあいだにパリに到着する。それからゲラの最後の見直しに一週間から十日は必要だ。だから印刷にかかれるのは［九月］二十日前後だろうね。（八月二十五日）

やがて作家は校正のため、ノルマンディからパリに上京する。ゲラをめぐるやりとりも、やれ一ページ何行にしろ、やれ活字のかたちが気にくわない等々、非常に細かくて、注文の多い作家の面目躍如である。そのいくつかを紹介する。

十月某日：「追伸。第三章、五十八ページは裏ページから始まっているが、見るにたえない。わたしは各章のあいだに白いページを置けといったのではなくて、章の始まりを表ページにしてくれといっただけなのだ」
十月某日：「再校までで我慢しろといわれても、そんなのは無理ですよ！　届いた校正刷りにたくさん誤植があるのですから。（中略）とにかく、できるだけ急いでやってますから。お宅の使いっ走り小僧ときたら、夜の十一時にゲラを持ってくるものだから、こっちは朝の三時までがんばらなくちゃいけない。（中略）できるかぎり、組版を急がせてくださいよ。もし外出できるなら、印刷所で校正するのですが、座っているのがやっとなので」

十月某日、章を表ページから始めるように念押しする。そして校正刷りが届かないと、いらいらがつのって――

十月某日：「一晩中待ったのに、校正刷りが来ないとは！　午後二時に受け取った二束を校了にした。（中略）赤字入れで朝の三時、四時に寝るのはたまらない。でもとにかく、校正刷りをもらわないことには話にならないから。（中略）わたしは怒っているんだ！」

そして今度は、校正者につっかかる。

十月某日：「校正者が、送った束を校了にして戻してくれといっている。しかし、校正の人といろいろなことで、個人的に了解してもらわなければだめなんだ。おたがいに理解していないんだ。（中略）わたしは身体のあちこちが麻痺している。関節リュウマチというやつらしい」

さらには、「著者用の百部については、献辞をゆったり書くために、白いページがあればと思う」とも言うのだが、まったくわがままな作者なのである。かくして、予定を一か月遅れて十一月二十四日に『サランボー』が発売された。イラストのない歴史小説なんて売れないだろうと、レヴィは考えていたのではなかろうか。初版が二千部で定価が六フランと、レヴィは石橋を叩いて渡った。今回は損してもいい、次の現代物で取り戻せばいいと算盤を弾いていたにちがいない。一方フロベールは、一万フランを獲得して大いに満足なのである。印税ならば、仮に十％として、二千×〇・六＝千二百フランにしかならないのだから。

ところが出版という商売はまさしく水物で、勝負してみないと分からない。この歴史物、あっというまに初版は品切れとなり、年内に三回も増刷したというのだから、これこそ大番狂わせであった。予想外の結果はまだ続いた。レヴィにとっては本命の「現代物」『感情教育』（一八六九年）が、惨憺たる結果に終わったのだ。この傑作をフロベールは一万六千フランで売り渡した。ところが初刷りの三千部（八折り判二巻、定価十二フラン）が、四年たってもまだ売れ残っていたという。今から考えると信じがたい話ではないか。

やがて、この再婚夫婦は、作家の親友ルイ・ブイエ（一八二二—六九）——『ボヴァリー夫人』は彼に捧げられている——の遺作の出版をめぐる行き違いなどで険悪な関係となって、一八七二年には『サランボー』『ボヴァリー夫人』の出版権も切れて、離縁するのだった。

六　「辻芸人」フロベール

出版契約の場では「買い取り制」というギャンブルにこだわって、「辻芸人」として契約交渉という舞台に身をさらした作家フロベール。市場社会という舞台に引きずりおろされた「純粋な人間」、この「雲の王者」（ボードレールの表現。第十章を参照）にとっては、卑俗さなるものも、地上の汚泥にまみれぬための一種の自己防衛手段であったにちがいない。

このような検証を重ねてきたとき、思い至ることがある。それは、この自称「ペン人間」が、「辻芸人」としての天賦の才能を自負していた事実なのである。

ぼくの性質の基本というのは、人にどういわれようと、「辻芸人 le saltimbanque」なんです。ぼくは子供のころも、青春時代も、「芝居の舞台 les planches」がものすごく好きだったんです。もしも運命のいたずらで貧乏に生まれていたら、偉大な役者になっていたかもしれませんよ。

（ルイーズ・コレ宛、一八四六年八月）

ブルジョワジーの世紀の卑俗さをアイロニカルに描いた文豪フロベールこそは、みずからのうちに崇高な精神と卑俗な心を合わせ持つ人間であった。しばしば最高傑作とうたわれる彼の書簡集の熱心な読者ならば、そのことが痛いほど分かる。しかも、そうした矛盾する精神が、芸術との関連でひどく極端なかたちで浮上してくることがこの上なく興味深いではないか。

◉第十章　「文芸家協会」「アカデミー」「文学賞」

一　地上に落ちた「雲の王者」

かつての芸術家はパトロンに従属していた。ということは、悪くいうならば、庇護者である殿様に阿諛《あゆ》追従《ついしょう》していたかぎりは、なにがしかの報償にありつくことができた。もちろん、そうした彼らとて、身分は安泰というわけにはいかない。わが国の千利休（一五二二―九一）の例に顕著なように、パトロン（利休の場合は秀吉）の怒りを買えば、切腹という悲運が待ち受けていたのである。ヨーロッパでも事情は似たようなものだった。

では、近代を迎えて、読者市場と対峙した芸術家たちはどうしたか？　印刷・活字鋳造・出版、さらには「ブッククラブ」と、「文学」を取り巻くあらゆるビジネス・チャンスに挑戦し続けて失敗したおかげで、《人間喜劇》という傑作を残した天才バルザック（第八章）。そして、芸術的なプライドの高さと純粋さゆえに、皮肉にも道化師的なふるまいに及んだフロベール（第九章）。読者マーケットという闘技場に引き出されて商業・資本の論理と対峙することになった、フランスの二人の文学者の行動を見てきた。

こうした「市場の芸術家」のジレンマを、地上におりたった大きな海鳥のイメージを用いてみごとに形象化した詩篇が存在する。ボードレール（一八二一－六七）の作品「あほう鳥」（『悪の華』第二版、一八六一年）である。

船乗りたちがしばしば、遊び半分、
生けどりにするあほう鳥は、巨大な海の鳥類、
旅の気ままな道づれとなって、
苦い淵の上をすべる船についてくるやつだ。

甲板planchesの上に水夫らが横たえたかと思うと、
これら蒼穹《あおぞら》の王者たちは、ぎごちなく身を恥じざま、
その白く大きな翼をみじめったらしく

櫂《オール》さながら両脇にだらりと引きずる。
この翼ある旅人の、なんと不様《ぶざま》なだらしなさ！
先ほどはあんなに美しかったのが、何と滑稽で醜いこと（中略）
暴風雨《あらし》の中を飛びまわり、射手《いて》をあざ笑う
雲の王者に、〈詩人〉も似ている。
地上に流され、勢子《せこ》たちに囃《はや》し立てられては、
巨人めいた翼も歩みのさまたげとなるばかり。

（阿部良雄訳、『ボードレール全詩集1』ちくま文庫、一九九八年）

あほう鳥は、詩人・芸術家のアレゴリー（寓意）である。最終詩節で種明かしされるように、かつては創作・創造という広大な天空で自由に羽ばたいて、嵐もなんのその、俗世間を見下していた「雲の王者」も、ひとたび地上に引きずり落とされて、世間のまなざしを浴び、さらには市場原理にさらされると、ぶざまなことこの上ない。「巨人めい

た翼」、つまりプライドの大きさ・高さがじゃまして、歩けやしないのだ。ここでは、近代の芸術家の運命がアイロニカルに歌われている。この詩篇は『悪の華』の第一章「憂鬱と理想」に収められている。俗世間で「憂鬱」におちいりながらも、そこからなんとかして脱出しようとして、「理想」を求めてもがく詩人・芸術家の実存が、「憂鬱と理想」というタイトルにも暗示されているのだろうか？

一個所だけフランス語を入れておいたのには、しかるべき理由がある。船の「甲板 les planches」とは、世間あるいは読者マーケットを象徴しているわけだけれど、それにとどまらず、大道芸人の「舞台」をも暗示しているにちがいない。フロベールは、こうした「舞台」が子供のころから好きだったと述べていた（第九章参照）。では、広場に立つバラックの舞台上で、矜持ばかり高い芸術家・詩人は、「先ほどはあんなに美しかったのが、何と滑稽で醜いこと」と嘲笑を浴びながら、「すきっぱらの辻芸人」（『悪の華』「金で身を売る美神」より）よろしく観客に媚びを売って、みっともない芸を披露するしかないのだろうか？

二　「文芸家協会」――市場と対処するためには団結を

作家や詩人は、読者マーケットといかに向き合い、いかに対処すればいいのだろうか？　あるいは、そのようなことは考えずに、マーケットになんぞ背中を向けていればいいのだろうか？　こういった問題を、近代の作家は否応なしに突きつけられたのである。

まずは、自分たちの「著作権」を守るために団結して対処しようという動きが出てくる。芸術家とは、とかく群れることを嫌い、連帯よりも孤立を選びたがる存在である。けれども、もはやそれでは自分たちの権利を守り通せない。こうして一八三八年に誕生したのが、第八章でもひとことだけふれた「文芸家協会 Société des gens de lettres（SGDL）」にほかならない（初代理事長のヴィルマンは、その後文部大臣となる。ユゴー、デュマなどが理事。バルザックは半年後に入会して、二代目の理事長に。ユゴーが三代目である）。協会がまず力を注いだのが、新聞・雑誌による「二次使用」をめぐる交渉であった。当時は、ひとたびパリの新聞や雑誌に原稿を売り渡すと、それが地方の活字媒体に、さらには外国の媒体にと、次々と勝手に掲載されていた。こうした「二次使用」に関して、作者はまったく蚊帳《かや》の外に置かれていたのだ。そこで協会は裁判闘争に訴えて、再使用料の徴収を勝ち取った。この種の収入を一括してプールして、これを適宜配分することから始め、やがて協会は、会員の著作権全体の管理へと業務を拡大していく。

それまで「書籍商の現状について」（一八三〇年）、「十九世紀のフランス作家への手紙」（一八三四年）、「文学的所有権と海賊版の問題について」（一八三六年）といった文章を著し、かつまた幾度かの著作権裁判を通じて文学者の権利の確立に尽力してきたのが、バルザックであった。その彼は「文芸家協会理事長」としても、出版契約の理念を全六十三条にまとめた「文学的所有権法」（一八四〇年）を起草して、理事会で読み上げている。短いものをいくつか選んで、訳しておく。

第一条：文芸家協会の会員は、自分の著作の最初の公刊に関する契約や取り決めを、協会の代理人に通知することなしには行わない義務を負う。この種の契約書はすべて三部作成して、一部をアーカイブに提出すること。そうした契約は、以下に述べる文学著作権のルールに従うものとする。

第五条：著者が印刷に供するべく出版者に原稿を手渡しても、明確な取り決めがないかぎり、出版者は、この原稿の所有権を有するものではない。
第二十三条：著者の校了を待たずして、書籍を出版した場合に、版元は損害賠償を課せられることとなる。
第三十条：挿絵類を作成して、これで文学作品を飾る権利は、そうした契約条項がないかぎり、著者に帰属する。
第四十七条：剽窃により三回有罪判決を受けた者は、協会から除名する。
第五十九条：存命中の著者の伝記を著すことは、本人の同意がないかぎり、禁じられる。

条文の引用はしなかったが、この「文学者の人権宣言」には、現在でいうところの「公表権」「氏名表示権」「同一性保持権」に相当する概念も含まれていることに注意したい。つまり、ここには「著作者人格権」の起源を見いだせるのだ。理事長を務めた期間こそ短かったもののバルザックは多大な貢献をはたしており、フランスの著作権の歴史にとっては恩人ともいえる。わが国の「日本文芸家協会ＪＷＡ」（一九二六年設立）や「日本音楽著作権協会ＪＡＳＲＡＣ」（一九三九年設立）も、直接的ではないとしても、演劇のボーマルシェ、小説のバルザックといった先人たちの奮闘努力の上に存在することを覚えておきたい。

こうして「文芸家協会」は、発足から十年で、新聞・雑誌などから百二十四万三千フランの使用料を徴収したというが、この額は当然ながら年々増加して、一八七二年だけで十七万五千フランにも上っている。なお、一八七〇年の規約によると、年会費が十二フラン、理事会は二十四名で構成されて、理事長の任期は三年となっている。正会員の資格は、最低二冊の著作があり、会員二名の推薦が受けられることであった。歴代の理事長には、ユゴー、バルザック、あるいは大衆小説家ポール・フェヴァルなどがいたものの、概して、著名作家よりも実務家肌の作家が理事長職を引き受ける場合が多いようだ。二〇二三年現在、会員は約六千、理事長はChristophe Hardyである。(参考までに、同じく二〇二三年時点で、「日本文藝家協会」の理事長は林真理子、副理事長は、いずれも小説家の赤川次郎、出久根達郎、三田誠広の諸氏である)。

三　印税システムは「普通選挙」だ――ゾラの場合

なかには、文学の市場原理を積極的に引き受けた作家も、もちろん存在する。その典型が、『テレーズ・ラカン』『居酒屋』『ナナ』などで有名なエミール・ゾラ（一八四〇－一九〇二）にほかならない。「文学における金銭」（一八八〇年）という論考に添って、彼の考え方をざっと見てみよう。

文学の「旧制度」の時代、「書物は高価で、普及しておらず」、「サロン」や「アカデミー」が文学という場を支配していた。したがって、「読者大衆、われわれが公論とか普通選挙と呼ぶものは、文学に関しては存在しなかったのだ」と、ゾラは卓抜な比喩で語る。けれども、いまや書物は「日常的な消費財」となり、文学作品のマーケットも成立して、読者公衆という公平な裁き手が存在している、作品の売り上げの多寡が、「印税」という民主的なシステムに反映されるような時代が訪れた、したがってバルザックたちの戦記の時代はおわった、「出版はもはやギャンブルではなくなった」というのが、ゾラの現状認識なのである。「著者は成功の

図10-1　エミール・ゾラ

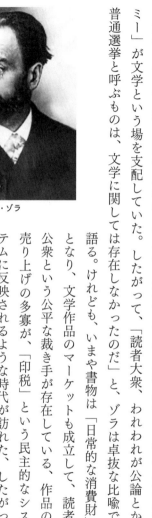

度合いに応じて利益を得る」という、デモクラシーが成立したというのだ。

ゾラ自身が、こうした確信をいわば創作のエネルギーとして、自費出版から始めて、作家としての成功とともに、確実に印税率を上げていった。『居酒屋』（一八七七年）がベストセラーになった年には、シャルパンチエ書店とのあいだで《ルーゴン・マッカール叢書》（『居酒屋』はその第七巻である）の契約更改が行われるが、印税率は約十一・四％（増刷分は約十四・三％）となり、一八九六年の新たな契約では、なんと二十％を越えるのだからすごい。

ただし、作品が当たるかこけるかは不確定要素が強いわけで、出版業から必ずしもギャンブル性が消えたわけではない。それにしてもゾラの発想は、きわめて今日的なビジネスライクなものであった。文学マーケットが成立したのだから、作家は自由競争によって、作品の対価としての利潤を獲得することができる、もはやパトロンに媚びることなく、創作に専念すればいいとストレートに考えて、彼はこう述べる。

作家には、新たな生活手段が与えられた。ヒエラルキーという考え方はいち早く消え去って、「知性」が「高貴」さとなり、「労働」が「威厳」を獲得した。そして、その論理的な結果により、サロンやアカデミーの影響力は消え失せて、文学に民主主義が到来したのだ。（中略）それは、なんのおかげだろうか？　疑いもなく、金銭のおかげではないか。著作によって合法的に得た利益が、作家を屈辱的な庇護から解放し、かつての宮廷の軽業師や控えの間の道化師が、だれにも従属することのない自由な市民になれたのだ。（中略）金銭が作家を解放した、金銭が現代文学を創出したのである。

（「文学における金銭」）

「市場の芸術家」という存在をほぼ手放しで肯定するゾラは、「アカデミー・フランセーズ」などはもはや権威もないといって、エミール・リトレによる国語辞典がアカデミーの辞典などよりもはるかに信頼を獲得しているという現実を引き合いに出す。そして、「アカデミーとは、われわれがめざす文学の道に立ちはだかる障害物だ」とまで言い切るのだった。

ゾラの場合は、ベストセラー作家となり、商業的な成功を収めながらも、通俗作家というレッテルを免れることができた。それは彼が、一方でドレフュス事件への対応などを通じて（ドレフュス無罪を訴えて、英国亡命までも余儀なくされている）、「進歩的知識人」としてのふるまいを示したからだと、著名な社会学者のピエール・ブルデューは述べる。「戦闘的な献身」によって、「社会的預言者」の役割をはたしたからだというのである（『芸術の規則』石井洋二郎訳、藤原書店、一九九五年）。

四　「アカデミー・フランセーズ」

ところがである。人間の名誉欲とは、なんとも厄介な代物である。このゾラにしてもこれを克服することはできず、数度にわたって「アカデミー・フランセーズ」に立候補しては、落選を繰り返して、ゴンクールの『日記』で、「アカデミー・フランセーズの終身書記にでもなるがいい」と皮肉られる始末なのだった。ゾラ本人も、「アカデミーに空席ができたと聞いたら、わたしは死の床からでも、立候補の書簡を送るつもりだ」と、悔しまぎれに語っているほどだ。このあたりの矛盾が、いかにも興味深いではないか。

では、問題の「アカデミー・フランセーズ」について、簡単に説明しておきたい。アカデミー・フランセーズは、フランス語という「国語」の統一・純化をめざそうという政策に基づいて、リシュリュー枢機卿が自分の周辺の文学者たちに公的な資格を与えたことに端を発し、一六三五年、国王の認可により誕生している。会員は二十名であったが、その後四十名に倍増している（現在も同じ）。国語辞典の編纂が本来の任務で、『アカデミー辞典』の初版が一六九四年に刊行されたものの、俗語や新語を排した規範主義の辞典であるから、批判も多かった。その後も、改訂を重ねてはいるが、十七世紀のリシュレ、フュルチエール、十九世紀になると、ゾラも挙げたリトレ、そしてロベールといった民間のフランス語辞典のほうが、はるかに人々に受け入れられた。

実はアカデミー・フランセーズは革命後に一旦廃止されたのだが、その後、復活して、現在に至っている。会員の別名は「不滅の人々」、終身身分なのである。だが問題は、必ずしも実力本位で選出されるわけではないことで、特に革命以前は、かなり政治的な配慮が働いていたし、現在でも、その名残があり、保守的かつ政治的な性格はいかんとも否定しがたい。二〇二〇年に死去した元大統領のジスカール＝デスタンもメンバーであった。わが国の「芸術院会員」（定員は百二十人で終身）とか「学士院会員」（定員は百五十人で終身）は、どうなのであろうか？

五　高見の見物という方法――高踏派の詩人たち

読者層の増大とジャーナリズムの発展に伴って順調な成長をとげてきたかに思われたフランスの「文学市場」も、世紀末近くなると「出版社倒産時代」とも呼ばれる危機におちいった。危機は求心力を生む。作家たちはそれぞれ党派を組んで、自分たちこそ文学の真の担い手だと主張し、読者に訴えかける。ゾラを領袖とするグループ（モーパッサン、ユイスマンスなど）が出した短編集『メダンの夕べ』（一八八〇年）も、「自然主義」の側から、こうした危機に先手を打った動きとして解釈できるのかもしれない。

けれども、特権的な少数者として自分たちを組織していく以外の道を選択しようのない文学集団は、君臨する「選良」という旧制度の知の構図にしがみついて、「アカデミー・フランセーズ」のような聖別と顕彰のシステムに、自分たちの存在理由を見いだすことになろう。その典型が、詩神ミューズの住むパルナッソス山の名を冠した「高踏派（パルナシアン）」の詩人たちかと思われる。盟主はルコント・ド・リール（一八一八―一八九四）、上田敏をもって、「此詩人に至り、始めて、悲哀は一種の系統を樹て、藝術の荘厳を帯ぶ。（中略）詩神の雲髪を把みて、之に峻厳なる詩法の金櫛を加えたるが故也」といわしめたところの、「憂鬱の達人」である。高踏派の「壮麗体」を、七五調にした上田敏の訳文を少しだけ読んでみよう。

「夏」の帝《みかど》の「眞昼時《まひるどき》」は、大野《おほの》が原に廣ごりて、
白銀色《しろがねいろ》の布引《ぬのびき》に、青天《あをぞら》くだし天降《あも》りしぬ。
寂《じやく》たるよもの光景《けしき》かな。耀《かがや》く虚空《こくう》、風絶えて、
炎《ほのほ》のころも纏《まと》ひたる地《つち》の熟睡《うまい》の静心《しづごころ》。

（「眞昼」、上田敏訳『海潮音』一九〇五年）

なんだか、こちらも高踏的な存在になれたような気がしてくる。さて、「芸術のための芸術」、つまり芸術至上主義を標榜して出された雑誌『現代高踏派詩集』（一八六六–七六）には、ルコント・ド・リール、テオドール・ド・バンヴィル、シュリ・プリュドム、ジョゼ＝マリア・ド・エレディアといった高踏派にとどまらず、象徴派のステファヌ・マラルメ、ポール・ヴェルレーヌらが寄稿したし、少年アルチュール・ランボーが、この詩集への掲載を願って、自作の詩をバンヴィルに送ったのは有名なエピソードだ（一八七〇年五月二十四日付け書簡）。そして、この高踏派のうち、ルコント・ド・リール、エ

レディア、シュリ・プリュドムがアカデミー・フランセーズの会員となり、プリュドムに至っては一九〇一年に第一回ノーベル文学賞までも受賞している。

そして、象徴派は《メルキュール・ド・フランス》《ルヴュ・ブランシュ》といった自前の雑誌に立てこもるはずだ。

ピエール・ブルデューは、世俗的な名誉なるものはブルジョワ市場あるいは大衆消費市場に向けて作品の生産をおこなう作家に優先的に与えられるとはいえ、前衛のうちでも、正統性を認知された「体制順応的な」作家にもそのような機会が訪れるとして、ルコント・ド・リールの例を引き合いに出している。

アカデミー・フランセーズは、つねに少数の「純粋」作家のために席をひとつ用意していた。高踏派のリーダーであったルコント・ド・リールがその例で、彼は一八五二年、『古代詩集』の序文においてみずから預言者として振舞い、失われた純粋さの復興者、一時的流行の敵を自任することによって、ついにアカデミー会員となり、レジヨン・ドヌール勲章を授与されるにいたった。（『芸術の規則』前掲邦訳）

六　「アカデミー・ゴンクール」と「ゴンクール賞」

エドモン（一八二二－九六）とジュール（一八三〇－七〇）のゴンクール兄弟は、起居を共にするほどの仲のよさで、密接な協力によって小説や評伝を世に送ってきた（兄が口述し、弟が執筆したという）。ところが、弟のジュールが病死してしまい、エドモンは「中断された作品を悔やむ。人生を、わたしを悔やむ」と、その落胆ぶりを日記に書き付ける。文壇仲間へのあからさまな批判も含まれたこの『ゴンクールの日記』は、自主検閲したテクストがエドモンの生前に公刊されたものの、それでも周囲を戦々恐々とさせずにはおかなかった。そしてエドモンは、しかるべき時期が訪れたら『日記』を公刊すべきことを、遺言書にしたためる（もっとも、最新の一九九八年版でも、依然として削除部分が残っている）。『日記』の公開と並ぶ、エドモンのもうひとつの遺志、それが「ゴンクール」という名前を後世に残すべく、遺産で「ゴンクールのアカデミー」を創設することなのだった。一八九六年七月十六日、この作家・批評家エドモン・ド・ゴンクールが鬼籍に入る。その数日後、遺言書が読み上げられた。

わたしは遺言執行人として、友人アルフォンス・ドーデ〔作家。短編に「アルルの女」「最後の授業」など〕を指名する。彼の責任において、わたしが死んだ年のうちに、恒久的な文学団体を設立してほしい。その創設は、わたしたち兄弟が文学者として生きている間、たえず考えていたことであって、その目的は、毎年、一つの作品に五千フランの賞金を授与する文学賞を創設することと、この団体の各メンバーに六千フランの年金を与えることにある。

遺言で「恒久的な文学団体」とあるのが、通称「アカデミー・ゴンクール」（正式名称は「ゴンクール文学協会」）であって、保守的で、文学を革新する活力に欠ける「アカデミー・フランセーズ」に拮抗するような団体を立ち上げてほしい、そして「若い文学者たちを励ますためにも」、ゴンクールという名を冠した文学賞を設けて自分たち兄弟の名前を後世に伝えてほしいというのが、死せる作家の希望であった。しかしながら、この遺言に対して親族からの異議申し立てなどもあり、発足は一九〇三年にずれ込んだ。その後、この「アカデミー・ゴンクール」は、その「公共的有用性」に鑑みてフランス共和国の正式の認定を受け、文科省と内務省の管掌する非営利組織となっている。わが国でいえば「公益社団法人」に相当する組織かと思われる。そして現在では、パリ市、国立図書センター等々からの補助金も受けている。つまり、その後、次々と創設される文学賞とは、おそらくはその法的な位置づけからして根本的に異なる組織なのである。フランスの文学賞といえば「ゴンクール賞」の名が挙がるのも当然といえよう。つまり、ゴンクールの遺志のとおりに、「アカデミー・フランセーズ」に対抗しうる団体となったのだ。「アカデミー・ゴンクール」の会員は十人とされて、エドモン・ド・ゴンクールは早い時期から、フロベール、ゾラ、アルフォンス・ドーデ、バンヴィルなどを指名していたものの、発足時には故人となった作家も多かったために、結局は、アルフォンス・ドーデ(一八四〇-九七)の息子レオン・ドーデ、ユイスマンス、ミルボー、ブールジュ等で発足した。「アカデミー・フランセーズ」への対抗意識からか、こちらも会員は終身制であったが、年金はまもなく廃止された。またゴンクール賞の賞金も五十フラン(現在は十ユーロである)と象徴的

図10-2　ゴンクール兄弟の墓(パリ、モンマルトル墓地)

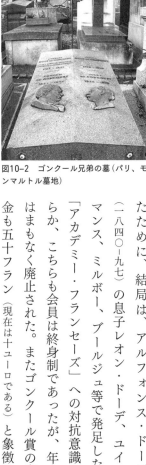

表10–1　主なゴンクール賞受賞作（邦訳のあるもの）

年	著者名	作品名
1916年	バルビュス	砲火
1918年	デュアメル	文明
1919年	プルースト	花咲く乙女たちのかげに
1933年	マルロー	人間の条件
1951年	ジュリアン・グラック	シルトの岸辺（受賞辞退）
1954年	ボーヴォワール	レ・マンダラン
1967年	マンディアルグ	余白の街
1970年	ミシェル・トゥルニエ	魔王
1984年	マルグリット・デュラス	愛人
1992年	パトリック・シャモワゾー	テキサコ
2002年	パスカル・キニャール	さまよえる影
2006年	ジョナサン・リテル	慈しみの女神たち
2009年	マリー・ンディアイ	三人の逞しい女
2010年	ミシェル・ウエルベック	地図と領土
2013年	ピエール・ルメートル	天国でまた会おう
2016年	レイラ・スリマニ	ヌヌ：完璧なベビーシッター
2020年	エルヴェ・ル・テリエ	異常

な金額に減額されはしたものの、賞の権威・知名度はいささかも揺らぐことなく、受賞作にはベストセラー入りが約束されている（二〇〇五－〇九年だと、平均三十八万部売れた計算になるという）。

邦訳のある名高い受賞作を掲げておく。（表10－1）

このゴンクール賞をめぐっては、さまざまなエピソードが伝わっている。たとえばプルーストの場合、《失われた時を求めて》第一巻『スワン家のほうへ』（一九一三年）が最終候補に残らなかったことに関しては、発売元のグラッセ書店がそれまで二年続けて受賞しているという事情があったともいわれる。やがてプルーストは版元をガリマールに変えて、『花咲く乙女たちのかげに』（一九一九年）を上梓する。そして、ロラン・ドルジュレス『木の十字架』との決戦投票となって六票対四票でゴンクール賞に輝くのだが、このとき彼は四十八歳になっており、若い文学者に賞をという本来の趣旨に反するとして票を入れなかった審査員もいたし、受賞後もこの点をジャーナリズムに揶揄されている。だが、やがて年齢という要素は薄れていく。事実、マルグリット・デュラスが『愛人』で受賞したとき、彼女は七十歳であったのだから。

七　ゴンクール賞の現状

図10-3 ゴンクール賞受賞時のボーヴォワールとサルトル（後方はバルザック像）

先ほど述べたように、「アカデミー・ゴンクール」も、「アカデミー・フランセーズ」と同じく、ゴンクール賞の審査にあたる会員について終身制を採用したのだから、対抗意識によって老化・旧弊という宿痾《しゅくあ》をかかえこんだことになる。『にんじん』などの作者で、ユイス

図10–4　マルセル・プルースト

マンス（一八四八－一九〇七）の後任として会員になったジュール・ルナール（一八六四－一九一〇）はいち早く、「アカデミー・ゴンクールは病んでいるかに思われる。昔からの友だちのための養老院みたいではないか。文学は、そんなものに関心はないのだ」と指摘している。

しかもゴンクール賞は、ガリマールやグラッセといった特定の出版社のあいだでたらい回しされているという非難も浴びてきている。実際、賞の歴史をふりかえると、これは二〇一一年時点の数字なのだが、ガリマール社が三十七回、グラッセ社が十七回、アルバン・ミシェル社が十回、そしてフラマリオン、メルキュール・ド・フランス、スイユの三社が各五回と、特定の文芸出版大手に受賞が偏っており、中小の出版社から刊行された作品が無視される傾向があることは否めないと思う。二〇〇〇年から二〇一一年までだと、ガリマールがなんと五回（ジョナサン・リテル『慈しみの女神たち』など）と、他社を圧倒しているのだ。

このような弊害をたちきるべく、二〇〇八年には改革が実行された。特定の出版社からの顧問料などを受け取ることの禁止、そして会員の八十歳定年制の採用である。定年制を受けて、大物小説家のミシェル・トゥルニエ（一九二四－二〇一六、『魔王』でゴンクール賞にも輝いた）が審査員をおりたわけだが、その代わりに入ったのが、なんと、かつてキューバに渡ってカストロやチェ・ゲバラとともにゲリラ闘争をおこない、一九八〇年代にはミッテラン政権で顧問をつとめたレジス・ドブレ（一九四〇－）で、世間をあっといわせた（多才なドブレは、小説も書いてフェミナ賞を受賞してはいるものの）。また二〇一二年には、鬼籍に入ったホルヘ・センプルン（一九二三－二〇一一）の後を、わが国でも有名なフィリップ・クローデル（一九六二－）が襲い、若返りも図られてもいる。ただし、センプルンの例からすると、トゥルニエはあくまでも自主的な退任であって、厳格な定年制は新任者からなのかもしれない。

作家たちの顕彰としての文学賞だが、現在ではそれこそ数え切れないほど存在する。わが国では作家の数だけ文学賞があるなどという悪口まで飛び出す始末だが、顕彰のシステムとは、ある意味で、その業界を盛り上げるため互助のシステムともいえるのだろう。

◉第十一章

文学のコスモポリタニズム

媒介者としての二軒の書店

両大戦間のパリは、世界で有数のコスモポリタンで開かれた都市として、各国の芸術家を引き寄せて、創造性を遺憾なく発揮していた。ブニュエルとダリ（ともにスペイン人）が共同で監督した『アンダルシアの犬』（一九二八年、翌年パリで上映）という「シュールレアリスム」の傑作を思い出してもいいし、チャールストン・ダンスで一世を風靡した歌手ジョセフィン・ベーカー（アメリカ出身で、スペイン人と黒人の混血、一九〇六－七五）を思い浮かべてもかまわない。あるいはまた、一九一三年に渡仏した藤田嗣治（東京生まれ、一八八六－一九六八）が、ピカソ（スペイン生まれ、一八八一－一九七三）やモディィリアーニ（イタリア生まれ、一八八四－一九二〇）等との交遊を深めて、的確なデッサン力としなやかな描線によって、前記のモディィリアーニ、パスキン（ブルガリア出身、一八八五－一九三〇）、ユトリロ（パリ生まれ、一八八三－一九五五）、シャガール（ロシア出身、一八八七－一九八五）と共に、「エコール・ド・パリ」の一翼を担っていく姿を思い描いてもいい。

むろん、文学も例外ではなかった。自由で創造的なパリの空気にあこがれて、数多くの有名・無名の文学者がこの都市に移り住む。作家として頭角を現して、母国に凱旋する者もいれば、ついに芽が出ることなく、失意のうちに消えていった者もいた。やがて、ナチス・ドイツの台頭にともない、ユダヤ系の文学者の亡命が目立ってくる。だが、一九四〇年六月にはパリも陥落する。こうした状況で、思想家ベンヤミンの悲劇が生じたのだった。

ここでは、ユダヤ系ドイツ人の批評家ヴァルター・ベンヤミン（一八九二―一九四〇）、アイルランド人ジェイムズ・ジョイス（一八八二―一九四一）、アメリカ人アーネスト・ヘミングウェイ（一八九九―一九六一）という、きわめて著名な三人に的をしぼって、大戦間のパリの国際色豊か《コスモポリタン》な文学的状況に迫ってみたい。とはいえ、彼らの伝記はいつでも読むことができるし、ヘミングウェイには、晩年の回想録『移動祝祭日』もある。そこで、あえて異なる視点を採用したい。フランス人アドリエンヌ・モニエ（Adrienne Monnier、一八九二―一九五五）の「本の友の家 La Maison des Amis des Livres」、アメリカ人シルヴィア・ビーチ（Sylvia Beach、一八八七―一九六二）の「シェイクスピア・アンド・カンパニー書店Shakespeare and Company」（以下、「シェイクスピア書店」と略記する）という、いずれも「女性」が経営する、パリの二軒の書店というレンズを通して、彼らの活動や作品の出現を眺めてみたいのだ。

一 オデオン通りをはさんだ二つの書店

1 「本の友の家」

まずは「本の友の家」（一九一五–五一）について。アドリエンヌ・モニエ［以下、原則としてAMと略記する］はパリのブルジョワ家庭に生まれた文学少女で教師などもしていたが、鉄道事故に遭った父親が、その補償金を、書店を開きたいという娘の夢に託してくれたという。こうして一九一五年十一月十五日、セーヌ左岸カルチエ・ラタンのオデオン通り七番地に、「書店兼貸本屋」の「本の友の家」が開店した。

「読書室」（フランスの「貸本屋」は、店内に読書空間を設けてそこで読むことを基本としていて、貸し出しはオプションであったため、「読書室 cabinet de lecture」と呼ばれた。第八章を参照）のレパートリーは比較的オーソドックスであったようだが、書店は同時代の文学に特化していて、ウィンドーには時代の先端を行く小説や詩が飾られた。アンドレ・ジッド（一八六九―一九五一）、ポール・ヴァレリー（一八七一―一九四五）、ヴァレリー・ラルボー（一八八一―一九五七）、レオン＝ポール・ファルグ（一八七六―一九四七）といった小説家・詩人がいち早くこの店の常連となったし、シュールレアリスト以前のアンドレ・ブルトン（一八九六―一九六六）とルイ・アラゴン（一八九七―一九八二）も、この店で知り合っている。

AMの「本の友の家」はこうして、有名・無名の文学者や文学好きの若者たちの集う空間となっていく。本を借りていく会員のリストを眺めていると、前衛的な劇作家・詩人のアントナン・アルトー（一八九六―一九四八）がいるかと思えば、女性思想家のシモーヌ・ヴェイユ（一九〇九―四三）の名前まであって驚かされるけれど、ここでは『第二の性』（一九四九年）で名高いシモーヌ・ド・ボーヴォワール（一九〇八―八六）の証言を引こう。

わたしはサント＝ジュヌヴィエーヴ図書館［パンテオンの北側］の本を読みまくった。ジッド、クローデル、ジャム［フランシス・ジャム、一八六八―一九三八。詩人］も読んだけれど、頭はかっと熱くなり、こめかみはずきずきし、感動で息がつまりそうだった。それから、幼なじみのジャックの蔵書を読みつくすと、「本の友の家」の会員になった。そこには、グレーの粗い織りの服を着たアドリエンヌ・モニエが君臨していた。とにかく、わたしは本をむさぼり読んだから、二冊の貸し出しという権利だけでは満足できなかった。そこで、こっそりと六冊以上もカバンに隠したのだ。でも問題は、本棚に返すことだった。全部を元の棚に返せたかしらと、わたしは不安でたまらなかった。

（ボーヴォワール『娘時代』）

文学少女シモーヌは、こっそり借り出した本をこっそり書棚に返却したのだが、元の場所に正しく戻せたかどうか、気が気でなかったらしい。もう一人、詩人ジャック・プレヴェール（一九〇〇-七七）の場合はどうであったか？　ロートレアモンの『マルドロールの歌』、ヴァレリーの『テスト氏との一夜』、ヴァレリー・ラルボーの短編集『幼なごころ』などを借りて耽読し、やがて、この店で機関誌『シュールレアリスム革命』（一九二四-二九）と遭遇して、シュールレアリスムの運動に加わっていくのだった。

図11–1　（左から）ジェイムズ・ジョイス、シルヴィア・ビーチ、アドリエンヌ・モニエ

2　「シェイクスピア書店」

次は「シェイクスピア書店」（一九一九–四一）について。シルヴィア・ビーチ〔以下、原則としてSBと略記する〕は、合衆国東部のボルティモアに生まれた。父親がパリのアメリカン・チャーチの牧師となり、SBがティーンエージャーの頃に一家で三年間パリに住んだから、フランス文化は親しい存在であった。その後、パリ留学中の一九一七年、詩の雑誌を買いに「本の友の家」を訪れたことから、SBとAMとの友愛が始まる。九代も続いた牧師の家庭に育ったSBには、なんらかの「ミッション（布教・使命）」を実践すべきことがDNAとして受け継がれていたはずで、彼女は本の世界を「ミッション」の場として選んだ。一時はロンドンでフランス語書籍を扱う店を開こ

うと考えたものの、成功する確率が低いと判断、一転して、パリで英米文学を扱う書店を開けば良いと考え、一九一九年の秋に、六区のデュピュイトラン通り八番地（メトロのオデオン駅の近く）で「シェイクスピア書店」を開業したのである。AMの方針を見習って、この店でも「書店兼貸本屋」というコンセプトが採用された。やがて二人の友情は愛情へと進み、一九二一年七月、「シェイクスピア書店」は、オデオン通りをはさんでAMの店のほぼ正面に移転するのだった。

AMとSBの二人にとって、きわめて重要な存在となったのが、すでに名前の出たヴァレリー・ラルボーという、根っからのコスモポリタンで各国語に通じた作家である。彼が「本の友の家」に姿を現したのは一九一九年、『フェルミナ・マルケス』（一九一一年）、後年AMに捧げられることとなる『A．O．バルナブース全集』（一九一三年）、『幼なごころ』（一九一八年）の作者として、大いに歓迎されたことはいうまでもない。こうしてAMとSBという文学的同志を見出したラルボーは、両書店を拠点として、英米文学はもちろん、イタリア文学・スペイン文学を広く紹介していく決意を新たにする。

二　ジョイス『ユリシーズ』の出現と出版

1　ジョイスとの出会い、ＳＢが版元に

「シェイクスピア書店」はあっというまに、アメリカやイギリスからパリを訪れる作家・詩人、文学愛好家の聖地になっていく。「驚いたことに、私の書店のニュースはたちまち海を越えて合衆国まで拡がって行き、この巡礼者たちが、パリで最初に捜すものが私の書店でした」と、ＳＢも書いている（『シェイクスピア・アンド・カンパニイ書店』「アメリカからやってきた巡礼者たち」）。

このＳＢがジェイムズ・ジョイス（一八八二―一九四一）と知り合ったのは、一九二〇年の夏、ある夕食会でのことだった。ＳＢは、出会いをこう語る。「〈偉大なジェイムズ・ジョイスさんですか？〉〈ジェイムズ・ジョイスです。〉（中略）当時のもっとも偉大な作家を目の前にして、わたしは圧倒されそうだった。でも、なんというか、彼と話していると、とてもリラックスできたのだ」（同書「パリの『ユリシーズ』」）。翌日、ジョイスはさっそく「シェイクスピア書店」を訪れて、会員となる。やがてＳＢは『ユリシーズ』の

出版を引き受けることになるわけだけれど、その前に、パリに来るまでのジョイスのコスモポリタンな半生を、簡単にたどっておきたい。

ダブリン郊外で生まれたジョイスは、同時代のアイルランド民族主義や文芸復興運動になじめず、一九〇四年にはダブリンを去って、現在のクロアチアのプーラ（当時はオーストリア領）のベルリッツ語学学校で英語教師となり、翌年にはイタリアのトリエステ（当時はオーストリア領）のベルリッツ校に転任する（その後も、半年ほどローマの銀行で働くなど、腰が定まることはないのだが）。相前後して、短編集『ダブリンの市民』、『ユリシーズ』の前身ともいえる半自伝的な小説の『若い芸術家の肖像』を書き始めている。だが両作品とも、さまざまな障害にぶつかり、出版には難渋する。前者はようやく一九一四年にロンドンで、後者は大戦の戦火を避けてスイスのチューリッヒに移住した後の一九一六年にニューヨークで刊行された。この間、亡命者や芸術家がひしめき、ツァラによる「ダダ」の運動が起こったこのチューリッヒという都市の実験的な雰囲気が、ジョイスを『ユリシーズ』執筆へと駆り立てていく。

その後ジョイス一家は詩人エズラ・パウンドの奨めで、一九二〇年の七月にパリに移住する。この頃には、『ダブリンの市民』と『若い芸術家の肖像』により、「モダニズム」の象徴的な存在として知名度こそ高まっていたものの、その懐はきわめてさびしかった。しかも、ニューヨークの前衛的な雑誌に連載された『ユリシーズ』が猥褻だとして裁判沙汰となり、一九二一年一月には二人の女性編集者（マーガレット・アンダーソンとジェーン・ヒープで、恋人同士である）が罰金刑を受ける。この結果、『ユリシーズ』のアメリカでの出版は事実上不可能となり、イギリスの出版社も手を引いてしまう。そんな一九二一年四月のある日、「シェイクスピア書店」を訪れたジョイスは、『ユリシーズ』の出版が暗礁に乗り上げていることをＳＢに打ち明ける。ＳＢにとっては願ってもないチャンスが降ってきた。「あなたの『ユリシーズ』をシェイクスピア書店から出すことに同意していただけますか？」と出版をもちかけて、作者の承諾を取り付けたのである。ＳＢのパートナーで相談役のＡＭも、即座に賛成した。ＳＢは、日頃からこの上なく賛美している『ユリシーズ』という傑作の版元になれるのだと、自分の幸運を噛みしめるのだった。それにしても、雑誌媒体も含めて、『ユリシーズ』を後押ししたのが女性たちであることが興味深いではないか。「モダニズム」は「フェミニズム」と相性がいいのかもしれない。

2　ついに『ユリシーズ』出版される

こうして『ユリシーズ』の印刷が、ブルゴーニュ地方のディジョンで始まる。予約購読者リストを見ると、驚かされる。ジッド、ヘミングウェイ、パウンド、イエーツ、ジュール・ロマン、ジョン・ドス・パソスといった作家・詩人から、ウィンストン・チャーチル、シュールレアリスムなど現代絵画の一大コレクターとなるペギー・グッゲンハイム（一八九八―一九七九）等々、なんとも豪華な顔ぶれなのである。「アラビアのロレンス」ことT・E・ロレンス（一八八八―一九三五）からは、催促の手紙も届いている。校正刷りを見たラルボーはAMと相談して、一九二一年十二月七日、前宣伝をかねた「ジョイスに捧げる集まり」を「本の友の家」で開催する。ラルボーによる講演や仏訳『ユリシーズ』の朗読などが行われたが、聴衆の中には、なんと若きジャック・ラカン（精神分析学者、一九〇一―八一）の姿もあったという（後年、ジョイスの症例を考察対象としている）。ラルボーの講演は雑誌『NRF』に掲載され、ジョイス『ユリシーズ』の出現という文学的大事件をフランスに告げたのだった。

迷信深いジョイスのために、刊行は一九二二年二月二日、つまり作者四十歳の誕生日と決められていたから、これに間に合わせるべく印刷所もフル回転した（そのせいで、初版本には誤植が多いらしい）。二月二日、ＳＢは、ディジョンの印刷業者が車掌に託した二冊の『ユリシーズ』をパリのリヨン駅で受け取り、一冊をジョイスのところに届けた。イギリスやアイルランドの予約購読者の手元には、当局に気づかれることなくこの「猥褻な」小説が渡ったものの、アメリカに送った最初の分はニューヨーク税関で焼却処分となってしまう。そこで、ヘミングウェイのアイデアにより、残りはカナダを経由で密かにアメリカに運び込まれたのだが、「禁酒法」（一九二〇－三三）の時代であるから密輸取り締まりも厳しくて、ずいぶん苦労したらしい。ともあれ、初版千部はまもなく完売となり、ジョイスには初めてまとまった金が入った。

なお、アメリカで『ユリシーズ』が「猥褻にはあたらず」との判決が下り、発禁が解けたのは、奇しくも「禁酒法」の廃止と同じ一九三三年である。この間、ＡＭは『ユリシーズ』仏訳を出版している。この翻訳作業には紆余曲折があって、オーギュスト・モレルほか訳、校閲ラルボー、作者ジョイスの協力によるフランス語訳が「本の友の家」から出版されたのは、一九二九年であった（千二百部で、八百部以上が予約済み）。やがて、かの有力出版社ガリマール書店が、仏訳『ユリシーズ』に目を付けて、ジャン・ポーランを仲介者として交渉に入った。ＡＭは最初は権利を売るつもりはなかったが、「本の友の家」はその志の高さとは裏腹に経営的にはうまく行っておらず、最終的には一九三七年に、二万二千フランで権利を売却した。今日、ガリマール書店は誇らしげにジョイスをプレイヤード版に入れているが、それはAMとSBという二人の女性の努力があってこそだという事実は、忘れられてはならない。『ユリシーズ』の翻訳といえば、邦訳（伊藤整、永松定、辻野久憲）の出現を知ったジョイスが一九三二年に訴訟を起こしかけたというエピソードも存在する。

3　ジョイス、「シェイクスピア書店」を離れる

SBはその後も、詩集『ポームズ・ペニーチ』（一九二七年）、『進行中の作品の検討』（一九二九年）と、ジョイス関連の書籍を二点刊行する。後者の「進行中の作品」とは、もうひとつの代表作『フィネガンズ・ウェイク』（出版は、ずっと後の一九三九年）を称揚する論集で、少し前にジョイスと知り合ったサミュエル・ベケット（一九〇六―八九）による「ダンテ…ブルーノ・ヴィーコ…ジョイス」は、最初の本格的『フィネガンズ・ウェイク』論として名高い。とはいえ、「シェイクスピア書店」をオフィス代わりに使い、その都度、金を無心していくジョイスとSBとの関係は、次第に冷たいものとなっていく。

そして一九三二年、ジョイスはSBには無断でアメリカのランダム・ハウス社と『ユリシーズ』の出版契約を結んで、一九三四年一月には、『ユリシーズ』が合法的にアメリカで発売された。わずか一か月で、それまでのSBの販売部数を凌駕したという。そして二月二日には、アメリカでの『ユリシーズ』出版を祝して、パリでジョイスの誕生パーティが開かれるものの、もはやSBとAMは招待されなかったのである。その後、『フィネガンズ・ウェイク』出版の話も出たらしいが、SBは断っている。

三　パリでの修業時代のヘミングウェイ

次に、時間を戻して、ヘミングウェイのパリについて少しだけ語ろう。シカゴ郊外で医者の息子として生まれた彼は、野戦衛生隊に所属して第一次世界大戦に参加するも、イタリアで重傷を負って帰郷した。その後、小説家シャーウッド・アンダーソン(一八七六―一九四一、代表作は短編集『ワインズバーグ・オハイオ』)に奨められて、新妻ハドリーとパリに移り住んで作家をめざす。アンダーソンは「シェイクスピア書店」のウィンドーに自作の『ワインズバーグ・オハイオ』が飾られているのを見て、「わたしが作者なのですが」と自己紹介してＳＢと知り合い、ＡＭとも親しくなっていた。この「シェイクスピア書店」について、ヘミングウェイはこう回想する。

　その頃は本を買う金にも事欠いていた。本は、オデオン通り十二番地でシルヴィア・ビーチの営む書店兼図書室、シェイクスピア書店の貸し出し文庫から借りていたのである。冷たい風の吹き渡る通りに面したその店は、冬には大きなストーヴに火がたかれて、暖かく活気に満ちた場所だった。店内にはテーブルが配され、書棚が並び、ウィンドウには新刊の書物が展示されていた。（中略）シルヴィアは生き生きとした、彫りの深い顔立ちをしていた。茶色の目は小動物のようによく動き、少女のそれのように活気があった。（中略）とても脚のきれいな人で、優しく、快活で、何事にも関心を持ち、ジョークを交わしたり、人の噂話《うわさばなし》をしたりするのを好んだ。知人たちのなかで、彼女くらい私に親切にしてくれた人はいない。

　初めてあの書店に足を踏み入れたとき、私はとてもおどおどしていた。貸し出し文庫に入会するための金も、持ち合わせていなかった。ところがシルヴィアは、入会金はいつでもお金があるときに払ってくれればいい、と言ってくれたうえ、貸し出しカードをその場で作ってくれて、何冊でも読みたいだけ持ち出してかまわない、と言ってくれたのである。
そんなに私を信頼していい理由などはなかった。私は初対面の男なのだし、私が明かしたカルディナル・ルモワーヌ通り七十四という自宅の番地は、極貧の地区を示すものだったのだから。それなのに彼女は上機嫌で笑顔をふりまき、私を歓迎してくれたのだ。

（ヘミングウェイ『移動祝祭日』高見浩訳、新潮文庫、二〇〇九年）

ヘミングウェイはやがて、ジョイス、エズラ・パウンド、ガートルド・スタインなどと親交を結ぶとともに、文学修行に励むのだが、このあたりは『移動祝祭日』に譲ろう。一九〇三年からパリに暮らし、小説『三人の女』（一九〇九年）や詩作で実験的な作風を発揮して、パウンド、T・S・エリオットと並び称せられる「モダニスト」のガートルド・スタイン（アメリカ出身、一八七四－一九四六）はピカソやマチスの絵画のコレクター・パトロンとして有名だが、同時代の新しい文学の推進役としても重要な役割をはたしている。スタインにも、アリス・B・トクラスという同性のパートナーがいたわけだが、どうやらAM=SBと、スタイン=トクラスとは波長が合わなかったらしい。スタインは、自分の「サロン」に集うヘミングウェイを含めた若い文学者たち——当時、『グレート・ギャッビー』(一九二五年)のスコット・フィッツジェラルドも妻ゼルダとパリに滞在していた——のことを「失われた世代」と呼んだらしい。この表現をエピグラフ(題辞)に掲げてヘミングウェイが書いたのが、最初の長編『日はまた昇る』(一九二六年)にほかならず、これがベストセラーとなり文名を一気に高めた彼は、一九二八年にパリを離れて帰国し、修業時代に終止符を打ったのである。

四　AMと雑誌について

ヴァレリー、ファルグ、ラルボーが共同編集し、AMが実務を引き受けて創刊された季刊文芸雑誌が『コメルス Commerce』(一九二四—三二)である。『ユリシーズ』の最初の仏訳(抜粋)はこの雑誌の創刊号に、ヴァレリー「手紙」、ラルボー「読書、この罰せられざる悪徳」などと共に掲載されたのだ。けれども、裏方に徹する彼女の几帳面さは、ファルグのルーズさとは折り合わず、AMはこの雑誌からすぐに手を引いてしまう。

そして、翌年に創刊した月刊の文芸雑誌が『銀の舟 Le Navire d'argent』(一九二五—二六)。

図11-2　ヘミングウェイ、「シェイクスピア書店」の前で（隣がSB）

発行元「本の友の家」、「編集主幹、A・モニエ」「発行人、A・モニエ」と明記してあることからも、これぞ自分の雑誌というAMの意気込みが伝わってくる。わずか十二号しか続かず、AMは借金を抱えることになったものの、その内容の充実ぶりには目を見張る。たとえば創刊号には、AMとSBが共訳したT・S・エリオットの詩「J・A・プルーフロックの恋歌」が掲載されている。第四号はブレイク特集で、詩の翻訳には、SB所有のブレイクの淡彩画も添えられる。AMは、ヘミングウェイを世間に押し出すのにも一役買っている。闘牛を主題にした短編「敗れざる者」の仏訳を、第十号「アメリカ文学特集」に掲載したのだ。この仏訳を読んだクローデルがすぐ店に駆けつけ

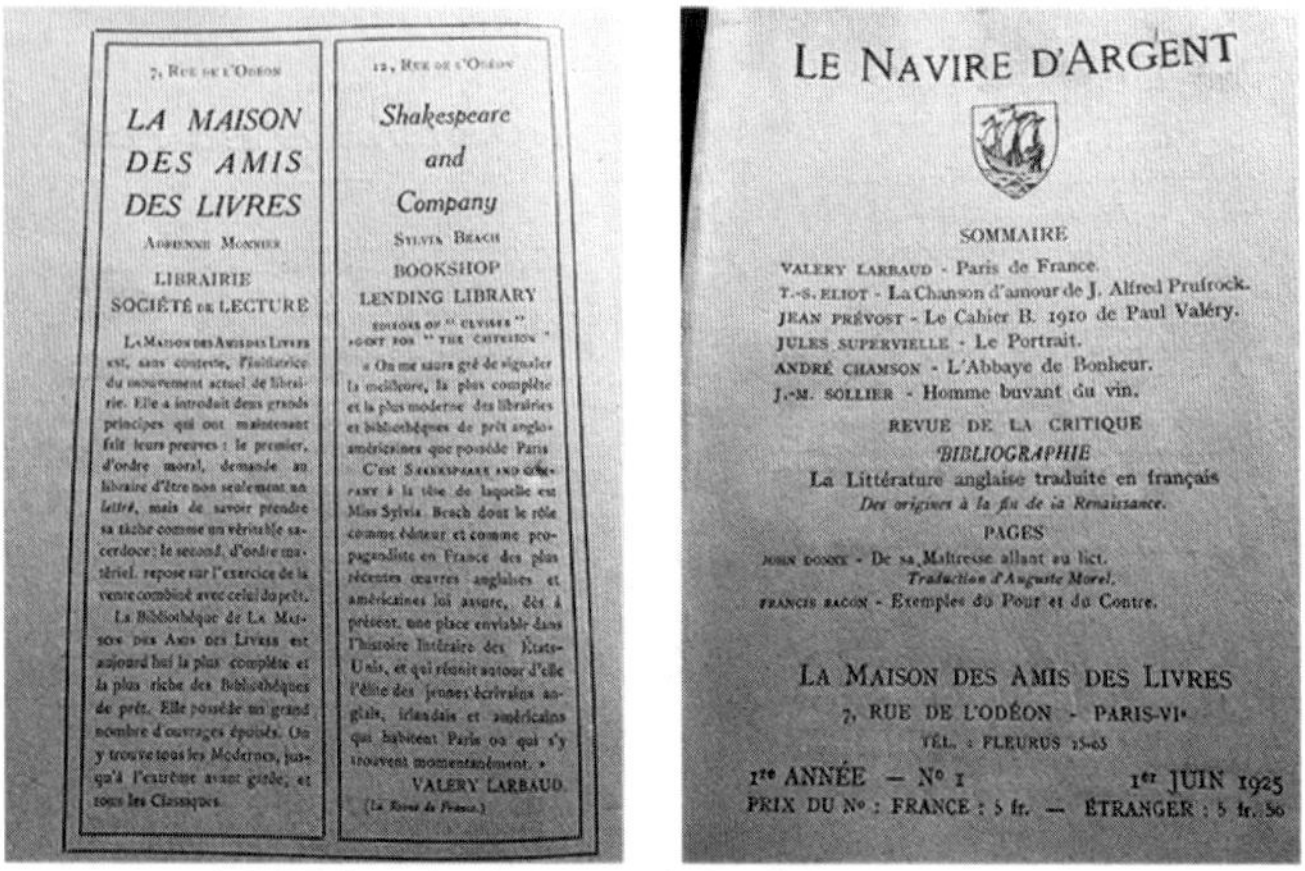
7, Rue de l'Odéon

LA MAISON DES AMIS DES LIVRES

Adrienne Monnier

LIBRAIRIE
SOCIÉTÉ de LECTURE

La Maison des Amis des Livres est, sans conteste, l'initiatrice du mouvement actuel de librairie. Elle a introduit deux grands principes qui ont maintenant fait leurs preuves : le premier, d'ordre moral, demande au libraire d'être non seulement un *lettré*, mais de savoir prendre sa tâche comme un véritable sacerdoce ; le second, d'ordre matériel, repose sur l'exercice de la vente combiné avec celui du prêt.

La Bibliothèque de La Maison des Amis des Livres est aujourd'hui la plus complète et la plus riche des Bibliothèques de prêt. Elle possède un grand nombre d'ouvrages épuisés. On y trouve tous les Modernes, jusqu'à l'extrême avant garde, et tous les Classiques.

12, Rue de l'Odéon

Shakespeare and Company

Sylvia Beach

BOOKSHOP
LENDING LIBRARY

EDITORS OF "ULYSSES"
AGENT FOR "THE CRITERION"

« On me saura gré de signaler la meilleure, la plus complète et la plus moderne des librairies et bibliothèques de prêt anglo-américaines que possède Paris. C'est Shakespeare and Company à la tête de laquelle est Miss Sylvia Beach dont le rôle comme éditeur et comme propagandiste en France des plus récentes œuvres anglaises et américaines lui assure, dès à présent, une place enviable dans l'histoire littéraire des États-Unis, et qui réunit autour d'elle l'élite des jeunes écrivains anglais, irlandais et américains qui habitent Paris ou qui s'y trouvent momentanément. »

VALERY LARBAUD.

(*La Revue de France.*)

LE NAVIRE D'ARGENT

SOMMAIRE

VALERY LARBAUD - Paris de France.
T.-S. ELIOT - La Chanson d'amour de J. Alfred Prufrock.
JEAN PRÉVOST - Le Cahier B. 1910 de Paul Valéry.
JULES SUPERVIELLE - Le Portrait.
ANDRÉ CHAMSON - L'Abbaye de Bonheur.
J.-M. SOLLIER - Homme buvant du vin.

REVUE DE LA CRITIQUE

BIBLIOGRAPHIE

La Littérature anglaise traduite en français
Des origines à la fin de la Renaissance.

PAGES

JOHN DONNE - De sa Maîtresse allant au lict.
Traduction d'Auguste Morel.
FRANCIS BACON - Exemples du Pour et du Contre.

LA MAISON DES AMIS DES LIVRES
7, RUE DE L'ODÉON - PARIS-VIe
TÉL. : FLEURUS 25-05

1re ANNÉE — No 1 1er JUIN 1925
PRIX DU No : FRANCE : 5 fr. — ÉTRANGER : 5 fr. 50

図11−3、4　文芸雑誌『銀の舟』創刊号、表紙（右）、裏表紙

て、新しい才能の出現を祝い、ガリマール書店もこの有望作家に契約をもちかけている。のちのノーベル賞作家を世に出すのに黒子として貢献したのがAMという女性なのである。なお、この雑誌には「シェイクスピア書店」の広告も載っていて、ラルボーが宣伝文を書いている。通りをはさんだAMとSBの書店は、文字どおり二人三脚で「世界の文学」を発信していった。

かつてトリエスト時代に、英語教師としてイタロ・ズヴェーヴォ（一八六一－一九二八）を教えたジョイスは、それまでの二作の長編が黙殺されて実業の世界に戻っていた彼を激励して、次作へと駆り立てた。その長編『ゼーノの意識』（一九二三年、自費出版）を謹呈されて

感嘆したジョイスは、自分も協力して抄訳を『銀の舟』（第九号）に掲載する。これも文学的事件として忘れがたい。「わたしには待っている時間もないのです」とAMへの書簡で述べているように、ズヴェーヴォは一九二八年には他界してしまう。けれども『ゼーノの意識』は、この抄訳のおかげで、フロイトの精神分析を応用した卓越した心理小説として、ヨーロッパ中に名を馳せていくのである。

五　ヴァルター・ベンヤミン、多産な亡命時代とその死

1　二人の女性から見たベンヤミン

一九三〇年、何度目かのパリ滞在をしていたベンヤミンは、AMが雑誌にペンネームで書いた詩に感心した。このことをきっかけとして、ベンヤミンは「本の友の家」に通うようになる。その三年後、ナチスが政権を取ると、ベンヤミンはベルリンを去って、一九四〇年までパリという「十九世紀の首都」（彼のパリ論の副題である）で亡命生活を送る。経済的には逼迫していたものの、それは実に多産な時期であった。次はAMによるべ

ンヤミン像である。

ユダヤ人にしてドイツ人、ヴァルター・ベンヤミンはまさにそういう存在だった。彼はその両者の特長を兼ね備えており、一方が他方より目立つようなことはなかった。（中略）彼はフランス語をよく知っており、非常に注意しながら、ほとんど誤りなく話した。（中略）話し言葉も彼にとっては非常に大切なもので、書き言葉と同じくらい念入りに話していることがはっきり感じとれた。彼はぜったいにしゃしゃり出ることがなかった――《僕が、私が》という言い方ほど彼らしくないものはない。彼は自分の意見を人に押付けようとはせず、口をさしはさむことなくじっと耳を傾けながら人に話させ、（中略）沈黙ないし質問にうながされて口を聞いても、相手の意見に反論を加えることはなかった。ソクラテスのように矛盾を浮きだたせるのではなく、ただ二、三の点を指摘して討論の限界を押しひろげ、相手が予見していなかった展望をあたえるのがつねだった。

（アドリエンヌ・モニエ『オデオン通り』岩崎力訳、河出書房新社、一九七五年）

ベンヤミン自身が、「時が経つにつれて、ぼくとアドリエンヌ・モニエの関係は、ドイツ語的な意味での友情というものに近づいていった。ぼくが彼女に示した尋常ならざる共感の念を、きみも覚えていてほしい」と、ある友人に書いているように、両者はおたがいに大切な存在になっていく。

ジョイスやベンヤミンの肖像写真でも知られることになる、ユダヤ系ドイツ人のジゼル・フロイント（一九〇八―二〇〇〇）も、ベンヤミンと同じ時期に祖国を逃れ、パリで博士論文を執筆中であった（ドイツでの指導教授であった社会学者ノルベルト・エリアスが、写真論執筆を奨めていた）。彼女も「本の友の店」でAMと知り合い、そのポートレートを撮っているし、一時は同居までしている。ベンヤミンについては、こんな証言を残している。

ヒトラーの政権が成立すると、ベンヤミンはパリに腰を落ち着けた。その頃、わたしは博士論文を仕上げるために、毎日、国立図書館で研究していた。ベンヤミンは、ボードレール研究のために、そこに通っていた。やがて、わたしたちのあいだには友情が生まれた。（中略）ふっくらした体つきの、中背の男性だった。（中略）とても生き生きとした近眼の眼差しが、メガネのぶ厚いレンズのうしろに隠れていた。

歩くときの、足どりはゆっくりしていた。ときどき、心臓が痛むと話していた。階段を上るのにも苦労していた。（中略）何年間も、わたしたちは、この巨大にして、静かな閲覧室で、毎日のように顔を合わせた。（中略）図書館が閉まると、いっしょに閲覧室を出ることが何度もあった。チュイルリー公園を抜けて、わたしたちはセーヌ河沿いを歩いた。ブキニストのところに来ると、ベンヤミンはかならず足を止め、本を買うこともあった。

（ジゼル・フロイント『旅程』一九八五年）

ベンヤミンは、ソルボンヌでのフロイントの博士論文『十九世紀フランスにおける写真』の公開審査にも出席している。この論文のフランス語にはAMがネイティブ・スピーカーとして多大に協力したのみならず、出版も引き受けた。AMは、ヴァレリー、クローデル、デュアメル、ラルボー、ジュール・ロマンなど、およそ四十点の作品を出版しているのだが、いずれも小品であって、元が博士論文というフロイントの単行本は、特別扱いであった。

2　未完の『パサージュ論』を残して

図11-5　rue Dombasleの記念プレート。「ドイツの哲学者・作家、プルースト、ボードレールの翻訳者、この建物に1938年から1940年まで住んだ」

ベンヤミンは、パリ陥落直後まで、この都市にしがみつく（一九三八年から、パリ十五区、10, rue Dombasleに居住、記念のプレートは必見）（図11-5）。その大きな理由は、やはり、畢生の大作となるべき『パサージュ論』の執筆にあったと思う。そのためには、リシュリュー通りの国立図書館で調べ物をすることが欠かせなかったのだ。この「パサージュ論」は膨大な断片を残したまま結局は未完に終わるとはいえ、パリ時代のベンヤミンは、「フランツ・カフカ」（一九三四年）、「パリ　一九世紀の首都」（一九三五年）、「複製芸術時代における芸術作品」（一九三六年）、「エードゥアルト・フックス　蒐集家と歴史家」（一九三七年）、「ボードレールにおける第二帝政期のパリ」（一九三八年）、「ボードレールのいくつかのモチーフについて」「歴史の概念について」（共に一九四〇年）等々、重要な文章をいくつも書いたり、発表したりしている。経済的には苦しかったものの、実に多産な亡命時代であった。

一九三九年の秋に収容所に入れられたベンヤミンがいち早く釈放されたのも、AMとSBが手を尽くしたおかげなのだった。だがベンヤミンは、パリを離れてスペインに向かうも入国できず、国境で自殺してしまう（一九四〇年九月二十六日）。『パサージュ論』の膨大な草稿は、国立図書館の司書をしていた作家・思想家のジョルジュ・バタイユ（一八九七－一九六二）に託されて図書館内に隠されたおかげで、現在われわれはこの未完の大作を読むことができるのだ。

六　終戦

第二次大戦が勃発すると、ジョイス一家は南仏を経て、またしてもチューリッヒに逃れるのだが、一九四一年一月十三日ジョイスは病死する。その年の十二月のこと、パリを占領しているドイツ軍の一将校が、SBのウィンドウに飾られている『フィネガンズ・ウェイク』を見て、これを売ってくれといって店に入ってきた。SBが、これは自分用の本なのでといって販売を拒否したため、将校は「明日にでも、本は全部没収してやるからな」と捨て台詞を吐いて立ち去ったという。SBはAMなどと協力して、およそ五千冊の書物、それに絵画など、すべてを上の階に隠した。これをもって「シェイクスピア書店」は実質的な終わりを告げたといえそうだ。「シェイクスピア書店」の歴史は、ジョイスの『ユリシーズ』で始まり、同じくジョイスの『フィネガンズ・ウェイク』で幕を閉じたのだった。

一九四四年八月二十五日、連合軍によりパリが解放される。従軍記者としてレジスタンス活動家と行動を共にしていたヘミングウェイが、翌日、オデオン通りを「解放」してSBと再会するのは、かなり有名なエピソードであろう。

オデオン通りでは依然として激しい撃ち合いが続いていた。（中略）ある日、何台かのジープが通りを上ってきて、わたしの家の前で止まった。「シルヴィア！」とわたしの名を呼ぶ、深みのある声が聞こえた。（中略）「あれはヘミングウェイよ！ヘミングウェイだわ！」、アドリエンヌが叫んだ。わたしは飛ぶようにして階下におりると、ぶつからんばかりに再会した。彼はわたしを抱き上げて、ぐるぐると振りまわしながら、キスしてくれた。

（シルヴィア・ビーチ『シェイクスピア・アンド・カンパニイ書店』「ヘミングウェイ、オデオン通りを解放する」）

アドリエンヌ・モニエについてだけれど、「本の友の家」の常連であったフランスの作家が、こう述べている。「ＡＭは慎み深かったし、いわばほとんど目に見えない仲介者なのだった（中略）ミツバチのような媒介者なのであった」（クロード・ロワ『わたしの場合は』一九六九年）。絶妙な表現ではないか。ＡＭもＳＢも、そして、ほとんどふれる余裕がなかったガートルド・スタインとアリス・Ｂ・トクラスも、いずれも大戦間のパリで、「ミツバチのような媒介者」として文学のコスモポリタニズムを演出した女性なのだった。もっと知られてしかるべき存在だと思う。[1]

（1）参考のために、巻末により詳細な年表を付しておいたので、ぜひお読みいただきたい。

◉第十二章　「手紙と著作権」再考、そしてインターネットの世紀へ

　十八世紀のイギリスで、文学者の手紙の著作権について決定的ともいえる裁判が行われて、モノとしては相手に渡った所有物である手紙についても、テクストについては著作権が認められたことを、第五章で紹介した。それは、スウィフトやポープといった大物文学者のからむ裁判であった。その後も、イギリスでは、似たような裁判が起こったではあろうが、その際にも、この裁判が判例として引かれたにちがいない。

図12-1　福島次郎『三島由紀夫　剣と寒紅』（文藝春秋、1998年）

　では、わが国ではどうなのか。日本における近代的な著作権概念は、明治三二（一八九九）年の「著作権法」（いわゆる「旧著作権法」）の制定によって

生まれたといえる（同時に「ベルヌ条約」も締結された）。その後、若干の改正を経て、一九七〇年には著作権法が全面改正された。「著作物」は、その第一章第二条において、「思想又は感情を創作的に表現したものであって、文芸、学術、美術又は音楽の範囲に属するものをいう」と定められている。簡潔ではあるが、「創作的に表現」という文言自体が曖昧だともいえる。そこで手元の『判例六法』（有斐閣、二〇一六年）を開いてみる。すると、「著作物」関連の判例が一五件紹介されていて、その一つが「手紙」の著作権に関する判例となっている。それが正に「三島由紀夫手紙事件」なのであり、「手紙と著作権」という微妙な問題をめぐる著名な裁判であったことを物語っている。

筆者は法律家ではないから、最終的な判断は差し控えるものの、原告・被告双方の主張を引用しながら、この裁判の経過をふり返ってみたい。「三島由紀夫手紙事件」とは、小説『三島由紀夫　剣と寒紅』をめぐって行われた著作権裁判（一九九八—二〇〇〇年）をいう。文学著作権について考える場合、大いに参考になる事例にちがいない。

一　『三島由紀夫　剣と寒紅』裁判、その始まり

福島次郎（一九三〇－二〇〇六）という中央では無名に近い作家がいた。故郷の熊本で高校の国語教師をしながら小説を執筆し、九州文学賞などを受賞しているのだから、地元ではそれなりの知名度があったにちがいない。教師退職後の一九九六年には、「バスタオル」で第百十五回芥川賞の候補ともなっている（受賞作は川上弘美『蛇を踏む』）。

その彼が、一九九八年（平成十年）に発表した小説が『三島由紀夫　剣と寒紅』（文藝春秋）である。若き日に交友のあった三島由紀夫（一九二五－七〇）との同性愛を描き、三島から送られた一五通の手紙を全文引用したという体裁であることからして、やや際物《きわもの》的な作品という印象は免れがたい。版元の文藝春秋は、雑誌《文学界》一九九八年四月号に、この小説の一部を掲載して耳目を驚かせると、同時に派手な新聞広告を打った。そこで、三島由紀夫の二人の相続人が（瑤子夫人はすでに死去し、長男と長女が著作権継承者となっていた）「三島由紀夫の手紙を原文のまま著書に掲載したのは著作権侵害」であるとして、著者の福島次郎と出版元の文藝春秋を相手取って出版差し止め・書籍の回収と、損害賠償、謝罪広告の掲載を求め、その後、民事裁判を起こした。そして同年三月三十日には「発行差し止め」の仮処分決定がなされたものの、その前に小説は出版され（初版の刊行は三月二十日）、書店で平積みされてベストセラーとなった（図12－1）。初刷りが何万部だったかは未確認だが、東京地裁の判決では、十万部を売ったとされている。
では、裁判を追体験してみよう（詳細については、「日本ユニ著作権センター http://www.translan.com/jucc」などで、判決の全文を参照のこと）。

二　東京地裁判決

一九九九年十月十八日：東京地裁民事第二九部判決（原告勝訴、正確には「一部認容、一部棄却」）。

主文
一　被告らは、別紙書籍目録記載の書籍を印刷、出版、又は頒布してはならない。
二　被告株式会社文藝春秋は、同被告が所有する前項記載の書籍及びこれに関する印刷用紙型、亜鉛版、印刷用原版（フィルムを含む。）を廃棄せよ。
三　被告らは各自、原告両名に対し、それぞれ金二百五十万円及びこれに対する平成十年五月一五日から支払済みまで年五分の割合による金員を支払え。

四　被告らは、原告らに対し、別紙広告目録（二）二記載の広告を、同目録一記載の新聞に、同目録一記載の方法で掲載せよ。
五　原告らの被告らに対するその余の請求をいずれも棄却する。
六　訴訟費用は、これを五分し、その一を原告らの負担とし、その余を被告らの負担とする。
七　この判決は、第三項に限り、仮に執行することができる。

以下、判決が続くが長文であるから、ここでは右の主文の一、すなわち手紙と著作権問題に関する原告・被告双方の主張と、判決の骨子を紹介する。なお、［　］は引用者（宮下）の注であり、――以下は、引用者による説明と感想である。


原告・被告双方は次のように主張した。

（原告らの主張）：本件各手紙は、いずれも、三島由紀夫の思想、感情を創作的に表現したものであり、著作物である。

（被告らの反論）：本件各手紙は、いずれも純然たる実用文であって、内容及び文体に照らして、誰にでも書けるような文章であり、創作性、創造性が認められず、文芸の範囲には属さない。よって、本件各手紙は、著作物とはいえない。

このことに対する裁判所の判断を、争点1と争点2とに分けて見ていこう。

まず、争点1（本件各手紙の著作物性）について。

1　本件書籍は、被告福島が三島由紀夫との交際を中心に執筆した小説であり、三島由紀夫と自己との関係を克明に叙述することによって、三島由紀夫の一面を描こうとする創作意図の下に、執筆、発表した自伝的な告白小説である。（以下略）

2　著作権法上保護の対象となる著作物とは、思想又は感情を創作的に表現したものであって、文芸、学術、美術又は音楽の範囲に属するものであることを要し、これをもって足りる。

本件各手紙は、いずれも、被告福島との往復書簡であり、特定の者に宛てられ、特定の者を読み手として書かれたものであって、不特定多数の読者を想定した文芸作品とは性格を異にする。しかし、本件各手紙には、単に時候の挨拶、返事、謝礼、依頼、指示などの事務的な内容のみが記載されているのではなく、三島由紀夫の自己の作品に対する感慨、抱負、被告福島の作品に対する感想、意見、折々の心情、人生観、世界観等が、文芸作品とは異なり、飾らない言葉を用いて述べられている。本件各手紙は、いずれも、三島由紀夫の思想又は感情を、個性的に表現したものであることは明らかである。以上のとおり、本件各手紙には著作物性がある。

よって、三島由紀夫は、本件各手紙の著作者として、本件各手紙に係る公表権及び複製権を有していた。

――ここでは、三島の手紙が「実用文」にすぎないのか、それとも「創作物」なのかが争点となっている。要するに、個人の手紙のすべてに著作権があるわけではないという考え方であるらしい。そして判決は、引用された書簡は文芸作品ではないとはいえ、三島の思想・感情が個性的に表現されたものだとしてその創作性を認定して、著作権保護の対象となるテクストだと結論する。

次に、争点2（不法行為の成否、損害額）について。

1　不法行為の成否

前記のとおりであるから、本件各手紙が掲載された本件書籍を出版した被告らの行為は、本件各手紙に係る原告らの複製権を侵害する行為に該当し、また、「三島由紀夫が生存しているとしたならばその公表権の侵害となるべき行為」（著作権法六十条）(*)に該当する。

被告福島は、本件各手紙が、三島由紀夫の未公表の手紙であり、これを本件書籍に掲載して出版すれば、著作権を侵害することを認識していたものと認められるから、右複製権の侵害行為及び著作権法六十条の規定に違反する行為をするにつき、故意又は過失があったといえる。また、被告会社は大手の出版会社であり、被告和田は被告会社の第一出版局長の職にあって、出版活動に従事していたのであるから、書籍を出版するに際して、他人の著作権を侵害することがないよう注意すべき義務があったといえる。しかるに、右注意義務を怠ったのであるから、右複製権の侵害及び著作権法六十条の規定に違反する行為をするにつき、過失があったといえる。

したがって、被告らの行為は、右複製権を侵害し、また、著作権法六十条の規定に違反し、共同不法行為を構成する。

（＊）著作権法第六十条（著作者が存しなくなった後における人格的利益の保護）：著作物を公衆に提供し、又は提供する者は、その著作物の著作者が存しなくなった後においても、著作者が存しているとしたならばその著作者人格権の侵害となるべき行為をしてはならない。ただし、その行為の性質及び程度、社会的事情の変動その他によりその行為が当該著作者の意を害しないと認められる場合は、この限りでない。

——争点1（本件各手紙の著作物性）において、三島の手紙の著作性を認定したのだから、争点2（不法行為の成否、損害額）の決定は、当然の結果といえよう。なお、出版社側は、本判決を受けて、『三島由紀夫　剣と寒紅』の回収措置に踏み切ったが、すでに十万部近くを売っていたという。被告側は控訴し、翌年、高裁判決がくだされる。

三　東京高裁判決

二〇〇〇年五月二十三日の東京高裁判決は、控訴棄却であった。

——主文：本件控訴をいずれも棄却する。控訴費用は控訴人らの負担とする。

まず被告側の主張を読んでみる。

1　不法行為の成否について

手紙の著作物性については、法律に明文がなく、それを否定した裁判例（高松高等裁判所平成八年四月二十六日判例タイムズ九百二十六号二百八頁）はあるものの、肯定した裁判例はない。学説も、手紙の著作物性について触れるものはほとんどなく、例外的にこれに触れた学説も、手紙をカタログ類、広告、劇場プロ、アルバム等と並記して著作物性を生じるボーダーライン・ケースとし、「もちろん、実際には、個々の場合について、著作物性を備えているかを判定することが必要で、一般論としてここにあげたカタログその他がすべて著作物だといえるわけではない」（中川善之助・阿部浩二著「著作権」）とし、半田正夫「著作権法概説」がやや詳細にこれを論じている程度である。

本件書籍に本件各手紙が公表された当時、素人はもとより専門家でも、手紙の著作物性について確かな見解（司法判断の予測）を持することは不可能であった。このような状況の下においては、手紙の著作物性は誰にも知られていないに等しく、国民の依拠すべき法は、事実上存在しなかったのである。

このように、手紙の著作物性については、法律の明文も判例も全くなく、学説も寥々たるうえ区々たる有様で、それだけを論じた単行の論文などなく、せいぜい教科書の中で結論だけが一、二行述べられているにすぎず、有力な多数説のごときものは形成されていなかった。このような状況の下において、日本で初めて公権的判断を下した裁判所が、自らの見解を理由として、それに反した当事者の行動に過失責任を問うのは酷である。控訴人らには、故意はもちろん過失もない。

——被告側は、手紙の著作権については法律の規定もないし、これを否定した判例はあるものの、肯定した例はないとして再反論している。いずれにせよボーダーライン上のケースなのであって、個々のケースについての判定が必要だと学会でも考えられているのだから、過失責任を問われるいわれはないと主張している。判例が確立していない段階においては、それなりに説得力のある理屈とも思われる。

2　差止めについて

本件においては次の事情があるから、本件各手紙の公表は、三島由紀夫の意を害しない。したがって、謝罪広告の請求は許されない。また、同人の意を害することを根拠とする限り、差止め請求もできない。

①本件各手紙は、三島由紀夫が生きているとして、恥じ入るようなところは全くない。

②本件各手紙は、控訴人福島に私信として送ったものであり、控訴人福島は自分のもらった手紙を自己の作品に引用したのである（罪の意識の不存在）。

③文芸出版において伝統と実績のある控訴人会社から出版された真面目な文学作品の中に引用されている。

④手紙利用の仕方も、小説の展開に応じた自然なもので、いささかも礼を失していない。

⑤今も毎夕仏壇の前で三島由紀夫の成仏を祈っているという控訴人福島が、三島由紀夫にもらった手紙を自己の小説に利用したのであって、手紙の利用にはいわば祈りが籠められており、三島由紀夫の人格を傷つけるような意図は毛頭ない。

⑥三島由紀夫の死亡から二十八年、最初の手紙が書かれた年から約三十七年、最後の手紙が書かれた年から三十一年が経過している。
⑦本件各手紙が著作物といえるかどうか疑問である。〔以下略〕

——被告側は、三島由紀夫の手紙は、そもそも著作物の定義にあてはまるかどうかも疑問の、単なる私信なのであり、小説の作者福島次郎は礼を逸することなく、真面目な作品のなかで引用しているのだし、その内容も三島が恥じるようなものではなく、「作者の意を害しない」ケースに相当すると主張したのだ。著者の死後も人格的利益は保護されるというのが著作者法第六十条の主文だが、それに付された、「ただし書き」の事例に相当して、「著作者人格権」を侵害していないのだという理屈である。⑥は、死後五十年という当時の著作権保護期間を念頭に置いて（現在は死後七十年である）、執筆後・死後、相当の期間を経ているから、もはや公表しても許されるのではないだろうかという発想であろう。

次に、主張の3は省略して、被告側の主張の4「憲法二十一条違反」を読んでみよう。

①集会、結社及び言論、出版その他一切の表現の自由は、これを保障する、②検閲は、

これをしてはならない。通信の秘密は、これを侵してはならない、と明記する憲法第二十一条は、「表現の自由」の根拠をなす法となっている。被告側は、これを根拠として、次のように憲法違反を訴えた。

---

4 憲法二十一条違反

本訴は、本件書籍の同性愛というテーマが被控訴人らの感情を刺激したために提起されたにすぎない。本訴差止請求は、同性愛者に対する差別感情に基づき、本来ならば公表を差し止める意思も必要もない手紙の著作権に名を借りて、文学的水準の高い本件書籍の発行を差し止め、これにより控訴人らの表現・言論・出版の自由を侵すものである。本訴の差止請求を認めることは、憲法二十一条に違反する。

——原告側は、三島の同性愛があらわになることをおそれて差し止め請求をしたわけだが、これはむしろ同性愛への差別を著作権問題にすりかえたところの議論であって、憲法第二十一条で規定された「表現の自由」を侵していると、被告側は主張したのだった。

これらを受けた、東京高裁の判断は以下のとおりである。「不法行為の成否について」、「差止めについて」、「憲法二十一条違反の主張について」、順番に見ていこう。

一　不法行為の成否について〔以下、長文につき、一部を引用する〕

1　著作権法は、著作物を「思想又は感情を創作的に表現したものであって、文芸、学術、美術又は音楽の範囲に属するものをいう。」と定義し、特に「手紙」を除外していないから、右の定義に該当する限り、手紙であっても、著作物であることは明らかである。この点について、手紙の著作物性は誰にも知られていなかったとか、国民の依拠すべき法が事実上存在しなかったとか、ということはできない。

――高裁判決は、著作権法で手紙が除外されているわけではないとして、被告側とは、別の角度から、手紙の著作物性への道を最初から開いている。ただし、当該の手紙が「思想又は感情を創作的に表現した」ものか否かの判断はしておらず、その次の、「手紙であっても、著作物であることは明らか」という断定とのあいだには、飛躍が感じられる。地裁の判断で十分という含意なのであろうか？

次に「不法行為の成否について」の2を読んでみよう。一九七五年に『週刊朝日』が三島由紀夫の書簡を掲載したことが問題となったことがあり、その際に、文藝春秋発行の『週刊文春』が「作家の著作権は私信にも及ぶというのが法解釈上の通説だそうで、確かに『手紙』を公開するには夫人の了解が必要だろう」と書いていることなどを挙げてから、次のように述べる。

2　右認定の事実によれば、昭和五十年ころには既に、交際相手にあてた私信という程度の手紙も著作物（すなわち、思想又は感情を創作的に表現したものであって、文芸、学術、美術又は音楽の範囲に属するもの）であること、及び、右のような手紙にも著作者の著作権が及ぶということが、週刊文春のような一般向け週刊誌にも、「法解釈上の通説」として説明される程度の事柄であったことが認められる。（中略）［半田正夫『著作権法概説』を引用して］手紙の著作物性を説明し、その著作権は著作者（発信人）にあるとする記述がみられるところである。

――『週刊朝日』問題に対する『週刊文春』の反応を提示されたのは、版元にとっては、大変に痛いところを突かれたことになる。他者が三島の手紙を公表したときに、自社が、著作権とからめて否定的な反応を示したのだから。また、後半部分では、被告側が著作権法の権威、半田正夫の著作（『著作権法概説』は、この分野の基本文献である）を引き合いに出したことを逆手にとって、判決が半田氏の記述を具体的に引用して、手紙の著作物性を補強していることも興味深い。

次に「差止めについて」の判断がくだされる。

二　差止めについて

1　著作権法六十条ただし書きの適用の主張について

（前略）本件各手紙が、もともと私信であって公表を予期しないで書かれたものであることに照らせば（例えば、本件手紙⑮には、「貴兄が小生から、かういふ警告を受けたといふことは極秘にして下さい。」との記載がある。右のような記載は、少なくとも書かれた当時は公表を予期しない私信であるからこそ書かれたことが明らかである。）、控訴人ら主張に係るその余の事情を考慮しても、本件各手紙の公表が三島由紀夫の意を害しないものと認めることはできない。

――公表を予期しない私信なのであるから、死後も、「著作者人格権」は保護されるという考え方である。最後に、憲法二十一条違反という被告側の主張に対する裁判所の判断を読もう。

三　憲法二十一条違反の主張について

　控訴人らは、本訴差止請求は、同性愛者に対する差別感情に基づき、本来ならば公表を差し止める意思も必要もない手紙の著作権に名を借りたものであると主張するが、これを認めるに足りる証拠はない。（中略）右差止めは、本来、控訴人らが控訴人ら自身の思想、感情を創作的に表現することを差し止めようとするものではなく、控訴人らが、控訴人ら自身の思想、感情を創作的に表現するのに役立てるためとはいえ、他人の思想、感情の創作的表現を複製、公表することを差し止めようとするものにすぎないものであることに照らせば、本訴差止請求を認めることを憲法二十一条に違反するものということはできない。

――回りくどい書き方だが、自己の「表現の自由」を侵害するわけではなく、他人の思想・表現の公表を差し止める決定であるから、憲法二十一条には違反しないというのである。また、同性愛に対する差別に由来するという反論も、その証拠はないと退けられた。

この東京高裁判決を受けて、文藝春秋は上告すると共に、雑誌《文学界》二〇〇〇年九月号で特集を組み、評論家で三島由紀夫論も著している松本健一の「文学を裁く法の論理『剣と寒紅』裁判を批判する」などを掲載して対抗した。

四　最高裁判決

二〇〇〇年十一月九日に、最高裁判決があり、上告棄却であった。最高裁の判決文はきわめて短いから、全文を引用したい。

主文：本件上告を棄却する。本件を上告審として受理しない。上告費用及び申立費用は上告人兼申立人らの負担とする。

理由：一　上告について

民事事件について最高裁判所に上告をすることが許されるのは、民訴法三百一十二条一項又は二項所定〔判決における、憲法違反や法律違反など〕の場合に限られるところ、本件上告理由は、理由の不備・食い違いをいうが、その実質は事実誤認又は単なる法令違反を主張するものであって、明らかに右各項に規定する事由に該当しない。

二　上告受理申立てについて

本件申立ての理由によれば、本件は、民訴法三百十八条一項の事件〔上告を受理すべき事件ということ〕に当たらない。よって、裁判官全員一致の意見で、主文のとおり決定する。

――「事実誤認又は単なる法令違反を主張」するにすぎず、上告理由に相当せずということ、ある意味で最高裁らしい、とりつく島のない判決によって、判決は確定したのだった。文藝春秋は五百万円あまりの損害賠償金を支払い、新聞に謝罪広告を出した。

以上、この裁判の判決について、かなり詳細に紹介してみた。読者は、どのような考えを抱かれるであろうか？　さまざまな意見が出るのではないだろうか？　冒頭で述べたように、筆者は法律家ではないので、判断は差し控えるしかないが、いわゆる「プライバシー権」は直接的な形では問題にならなかったらしい。ちなみに三島由紀夫は、自分が書いたモデル小説『宴のあと』（一九六〇年）がプライバシー侵害で訴えられるという経験をしている。「プライバシー」ということばが日本でも定着されるきっかけとなった裁判としてよく知られている（裁判は、第一審では原告側が勝訴したが、控訴審の途中で原告が死去し、その後遺族との和解が成立して、著作権・出版権が認められた。したがって、現在でも文庫でも買えるし、三島由紀夫全集にも収録されている。ドナルド・キーンによる英訳もある）。

また、いわゆる「信書の秘密」（基本は憲法第二十一条の「集会・結社・表現の自由・通信の秘密」）一般として判断するということでもなく、要するに、文学者三島由紀夫の書簡であるから文学性を帯びており、著作権を有するという感覚に基づく判決のようにも受け取れる。そもそも、著作権法にも、「著作物：思想又は感情を創作的に表現したものであって、文芸、学術、美術又は音楽の範囲に属するものをいう」とあるだけなので、被告側の「手紙の著作物性については、法律の明文も判例も全くなく」という反論にも一理あるかに思われる。

いずれにせよ驚くべきは、二十世紀末になっても依然として、手紙と著作権をめぐる問題をめぐって、激しい法律的な議論が戦わされていたという事実なのである。最高裁で決着が付けられたとはいえ、かなり微妙な問題であることに変わりはない。ちなみに、著者の福島次郎は、裁判のさなかの一九九九年にも再度芥川賞候補となったものの（この文学賞が文藝春秋主催であることは周知のとおりで、かんぐりを入れたくもなる）、受賞には至らなかった。そして、二〇〇六年に他界した。

なお、判決でも言及された半田正夫『著作権法概説』（一九七四年初版）はこの分野のスタンダード・ブックであって、法改正に合わせるようにして版を改めているのだが、手元の第十三版（二〇〇七年）では、「三島由紀夫手紙事件」を注に入れる形で、「書簡」の著作権について論じている。全文を引いておきたい。

時候の挨拶、転居通知、出欠の問合わせなどの日常の通信文とか、品物の発注、代金の催促など商用文は著作物となりえないが、その他の書簡であって文芸、学術の範囲に属すると認められるものについては著作物として保護される［この個所に注を付して「三島由紀夫手紙事件」を事例として挙げている］。この場合、書簡の所有権は発信によって名宛人に帰属するが、所有権の移転は当然には著作権の移転を伴うものではないから、特約なきかぎり著作権は差出人に留保される。したがって名宛人は差出人の同意を得ることなしに書簡を公表することはできない。ただし、名宛人は書簡の所有者であるから、著作権とは無関係の物として利用することはなんら差し支えない。差出人のために書簡を保存しておく義務もなければ、破棄しても、さらには第三者に譲渡しても、いっこうにかまわない。

著作権法第六十条が定める「著作者人格権」は著作者である三島由紀夫の死後も保護されるのだから、『三島由紀夫　剣と寒紅』は今後、永久に日の目を見ることはないという理屈となり、事実、その後、この作品は再刊されてはいない。ただこういうロジックが成立すると、時代を経て、作家の書簡集の集成という文学的な企画を立てたときに、その文学性ゆえに著作権ありとされた書簡を収録できなくなるというジレンマが生じるようにも思われるのだが、どうなのだろうか？　ともあれ、わが国の法によっても、書簡の著作権が、紙という媒体からの離陸をはたしたことはまちがいない。

五　紙媒体から電子媒体の時代へ

こうして、われわれは二十一世紀を迎えた。書簡という紙媒体に書かれた作家のテクストの著作権が問題となってからさしたる年月を経ずして、世界は一足飛びに急速なグローバル化・サイバー化の時代に突入している。その、急激にすぎる変容には、めまいを覚えそうだ。最近〔本書の執筆は二〇一二年前後である〕の著作権問題といえば、ケータイ・コンテンツの無断配信、Googleによる書籍電子化をめぐる問題、さらには「ファイル共有ソフト」Winnyの開発者が著作権法違反の幇助罪に問われたものの、最高裁で無罪が確定したこと等々[1]、インターネット関連のものが圧倒的である。そうした一方で、「入れ墨」という皮膚に彫られた図像に著作権が認められたというユニークな判例を発見すると（東京地裁、平成二十一年(ワ)第三一七五五号、損害賠償請求事件）、なんとアナログ的な著作権裁判であることかと、大いに親しみを感じてしまうのである。

最後に、著作権問題とは離れるものの、ひとこと書き記しておきたい。かつてバルザックは、作者と読者のあいだに介在する夾雑物を廃するべく、小説の「直販方式」を模索して、資金を集め、趣意書まで執筆したものの、実現には至らなかった（第八章「バルザックのメディア戦記」を参照)。しかしながら、現在では、インターネットのおかげで、バルザックの夢はより革新的な形で実現している。まずは、書籍販売がAmazon等のネット書店に大幅に移行して、町のなかから本屋さんが消えつつある。都会においても、売れ筋の単行本や文庫と雑誌しか置いてない駅ナカの系列書店と、ターミナル駅近くの巨大書店チェーンばかり、そして東京の場合でも、専門的な本や古い本を探すのに充分なのは神保町の書店・古書店街だけになってしまっている。

ネット配信も実用化されて、電車のなかで、連載マンガや新聞記事をスマホ画面で読んでいる姿も、よく見かけるようになったし、公共図書館もこうした動きを開始している。連載小説などについても、こうした方式での提供が始まっているのかもしれない。このような現状をバルザックが見たら、なんというであろうか?

電子読書用の端末も一時は多数発売されていたが、もはや淘汰の時期を迎えているらしいし、iPadなどにもこの種の機能が備わっている。小説や人文書は、はたして、こうした読書端末にフィットしたソフトなのだろうか? 少なくとも、じっくりと読み進んで、ときには元のページに戻って読み直したりすることが求められる、まともな人文書や学術書にかぎっては、紙という媒体の優位は動きそうにない。小説などのフィクションについても、紙の本のしなやかな手ざわりは何にも代えがたい快感であって、紙の本と電子本とは、当分のあいだは、役割分担を伴いながら共存していくのではないだろうか？

極端に厚いミステリーや妖怪物の作者で知られる鬼才京極夏彦（一九六三−）は、出版という行為についても挑戦的な作家で、文庫化にあたって、わざと一冊本と分冊本を同時に出すという意表を突く試みを率先して実行した（分冊のほうが定価は高めであった）。そして今度は、単行本とiPad用の電子書籍の発売に合わせて、オンラインでの配信も行うという実験に踏み出した。こうした販路の多チャンネル化は、むろん、バックに巨大出版社があるからこそ可能な試行錯誤であるわけだが、その京極夏彦が次のように語っている。

日本の出版には何百年という歴史があり、本という娯楽装置はほぼ最終形。電子書籍は（文章）素材の見せ方が分からないまま見切り発車している。いわば、料理の仕方すら分からず出しているものが、熟練のシェフ（編集者）が作った料理（本）に影響を与えるわけがない。出版不況の理由を電子書籍に求めるのはナンセンスだ。（中略）小説は書いただけでは誰も読まない。（紙の本の場合）装丁され、本という商品になって流通しないと完成しない。紙の質からインク、活字の種類に至るまで目配せの効いた商品のほうがいいに決まっている。それは編集者の仕事。

（《産経新聞》二〇一一年十二月二十六日）

直木賞作家でもある京極はむろん、大衆文学という自分の猟野を念頭に置いて話しているのだが、堅い本などの出版についても、大いに参考になる談話だと思う。人文書や純文学の「エコロジー」は非常に厳しい状況にあるわけだが、電子書籍の出現によって、紙の書籍などは蹴散らされるともいわれている。(2) しかしながら、紙の本ならではの特徴を活かし、「熟練のシェフ」たる編集者が腕をふるうことによって、従来の書物もじぶとく生き延びて行くにちがいない。

（1）Winnyで開発された技術は、仮想通貨で用いられる「ブロックチェーン」の先駆をなすものとして位置づけられている。なお、「ウィニー事件」に関しては、二〇二三年に、被告の七年間の裁判を描いた映画が公開された。《Winny》、監督松本優作、主演東出昌大、三浦貴大。

（2）ここでは身近な事例について補っておきたい。わたしは二〇〇五年から二〇一二年にかけて、フランソワ・ラブレー《ガルガンチュアとパンタグリュエル》全五巻の新訳を刊行し（ちくま文庫）、それなりに好評であった。とはいえ、期待する売れ行きには届かなかったらしく、やがて絶版となった。しかしながら、その代わりに電子版として復活していて、少しずつとはいえ毎年確実に売れている。もちろん、紙媒体で読んでもらうことが望ましいのだが、電子媒体として存続していることをよしとすべきかもしれない。

◉付録

本の友の家／シェイクスピア・アンド・カンパニー書店（第十一章）関連年表

		出来事
一八八二年		ジェイムズ・ジョイス（James Joyce）、ダブリンで生まれる。
一八八五年		エズラ・パウンド（Ezra Pound）、アメリカ合衆国アイダホ州に生まれる。
一八八七年		シルヴィア・ビーチ（Sylvia Beach、SBと略す）、アメリカ合衆国のボルティモアに生まれる（父親は牧師）
一八九二年		アドリエンヌ・モニエ（Adrienne Monnier、AMと略す）、パリに生まれる。ヴァルター・ベンヤミン（Walter Benjamin）、ベルリンで生まれる。
一八九九年		アーネスト・ヘミングウェイ（Earnest Hemingway）、シカゴ郊外で生まれる。
一九〇二年		SBの父親がパリのアメリカン・チャーチの牧師となり、一家は三年間パリに住んだ。その後、プリンストンに。
一九〇七年		以後SBは、頻繁にヨーロッパに行く。
一九〇九年		トリエステのベルリッツ校で英語教師をしていたジョイスは、年長の生徒イタロ・ズヴェーヴォ Italo Svevo（一八六一－一九二八）の激励により、『若い芸術家の肖像』を書く決意をいだく。
一九一一年		AM、私塾の教師を経て、編集者に。
一九一三年		書店を開くというAMの夢を実現すべく、父親が鉄道事故の補償金一万フランを娘に渡す。
一九一四年	七月二十八日	第一次世界大戦勃発。
一九一五年	六月	ジョイス一家は、チューリッヒに移住。トリスタン・ツァラ、ハンス・アルプなどの「チューリッヒ・ダダ」にふれる。

一九一六年	十一月	AMはパリ六区、オデオン通り七番地に「本の友の家 La Maison des amis des Livres」を開く。
		SB、パリに居を定める。十二月、SBは初めて「本の友の家」を訪れ、会員となる。この頃には、ジュール・ロマン、アンドレ・ブルトン、ルイ・アラゴン、マックス・ジャコブ、ブレーズ・サンドラール、ギヨーム・アポリネールなどが、「本の友の家」の常連となっている。
		ジョイス『ダブリン市民』と『若き芸術家の肖像』、アメリカで出版。
一九一七年		ジョイス『若き芸術家の肖像』、イギリスで出版。
一九一八年		ジョイス『ユリシーズ』の最初の断片がニューヨークの雑誌に掲載される。
一九一九年	四月	「本の友の家」での朗読会（ヴァレリー、L・P・ファルグ、ブルトン）。
	十一月	SBはロンドンでフランス語書籍の店を開くことを断念して、パリで「シェイクスピア書店 Shakespeare and Company」を創業（六区、デュピュイトラン通り八番地）。
		この頃、トリエステにいたジョイスは、ズヴェーヴォが執筆中の『ゼーノの意識』を高く評価し、完成へと導かせる。
一九二〇年	七月十一日	SB、夕食会でジョイスと出会う。翌日、ジョイスは「シェイクスピア書店」を訪れて、会員となる。この年、エズラ・パウンドがロンドンからパリに移り住む。
一九二一年	二月	『ユリシーズ』を連載したニューヨークの雑誌《The Little Review》の女性編集者二人が、猥褻文書公刊の罪で罰金刑に。その結果、『ユリシーズ』は合衆国では発禁扱いとなる。
	四月	ジョイス、「シェイクスピア書店」から『ユリシーズ』を刊行することを承諾する。
	七月	SBの「シェイクスピア書店」は、「本の友の家」の正面のオデオン通り十二番地に移転。
	十二月	ヘミングウェイ、妻ハドリーとともにパリに移住。「シェイクスピア書店」を訪れて会員となる。その後、彼はジョイス、エズラ・パウンド、ガートルード・スタインなどと親交を結ぶ。
	十二月七日	「ジョイスに捧げる集まり」（ラルボーの講演や、仏訳『ユリシーズ』の朗読など）。
一九二二年	二月	『ユリシーズ』刊行（シェイクスピア書店）。［ディジョンで千部限定で印刷された。普及版七百五十部は一か月で売り切れたという］
一九二三年		AM、第一詩集《La Figure》を出す（以後も、彼女はいくつか詩集を刊行している）。
		ヘミングウェイ、最初の作品集『三つの短編と十の詩』をパリで刊行。
		ジョイス、『進行中の作品』（のちの『フィネガンズ・ウェイク』）の執筆を開始する。
		ズヴェーヴォ、『ゼーノの意識』を自費出版（ボローニャ）。謹呈されたジョイスは、高く評価して、ラルボーなどに教える。
一九二四年		雑誌《コメルス Commerce》創刊（ヴァレリー、L・P・ファルグ、ラルボーが編集。AMが運営を担当したが、ファルグとのいさかいにより、創刊号だけで手を引く）。

一九二五年		ヘミングウェイ、『ワレラノ時代 in our time』をパリで刊行。
		スコット・フィッツジェラルドがパリに滞在する。
	六月	AMは月刊の雑誌《銀の舟 Le Navire d'argent》を創刊、ズヴェーヴォ『ゼーノの意識』の部分訳などを載せる（この雑誌は翌年、一二号で終刊）。
一九二六年		ヘミングウェイ『われらの時代 IN OUR TIME』をニューヨークで刊行。
		ヘミングウェイ、最初の長編『日はまた昇る』をニューヨークで刊行、「失われた世代」を活写した名編として、一躍世に認められる。
一九二七年		ヘミングウェイ、ハドリーと離婚し、ポーリーン・ファイファーと再婚、その後、アメリカに帰国する。ジョイスは詩集『ポームズ・ペニーチ』を出版（シェイクスピア書店）。この年、『ユリシーズ』独訳の刊行。
一九二九年	二月	「本の友の家」より『ユリシーズ』仏訳が刊行される（オーギュスト・モレルほか訳、ラルボーの校閲、ジョイスの協力）。
	九月	ヴァレリー『文学論』（「本の友の家」）。
一九三一年	三月	「ジョイスに捧げる集まり」（AMの基調講演「ジェームズ・ジョイスとフランスの読者」。ジョイス朗読の「アンナ・リヴィア・プルラベル」（『フィネガンズ・ウェイク』の一部）のレコード（一九二九年に録音した）がかけられる。フィリップ・スーポー、ベケット、イヴァン・ゴル、AMなどが共訳した「アンナ・リヴィア・プルラベル」仏訳を、スーポーが紹介する、等々）。
一九三二年		AM、『貸本カタログ（一九一五―一九三二）』を刊行。
		前年から日本語訳（伊藤整、永松定、辻野久憲）が出始めたことを知り、ジョイスは訴訟を起こそうとするも頓挫する。
一九三三年	十二月	ニューヨークの裁判所で、『ユリシーズ』は猥褻ではないとの判決が出され、アメリカでの出版が可能となる。
一九三四年	一月	『ユリシーズ』がアメリカで出版される（ランダム・ハウス社）。
一九三五年		のちに著名な肖像写真家となるジゼル・フロイントが、初めて「本の友の家」を訪れて、AMと意気投合する（翌年にはAMと同居）。
一九三六年		SBの財政危機を救うべく、ジッドの呼びかけで、「シェイクスピア書店友の会」が設立される。募金のため、ジッド、ヴァレリー、ジャン・ポーラン、T・S・エリオットなどが朗読を行う。エリオットは、『荒地』のほか、近刊の『四重奏』も披露。
		ジゼル・フロイント『一九世紀フランスにおける写真』（「本の友の家」）。
		『ユリシーズ』イギリスで刊行（ロンドン、ボドリー・ヘッド）。
一九三七年	一月	ジュール・ロマン『善意の人々』の一部などを「シェイクスピア書店」で朗読。
	二月	AMは『ユリシーズ』仏訳の権利をガリマール書店に売却する。

	四月	アンドレ・モーロアの朗読会（「シェイクスピア書店」）。
	五月	ヘミングウェイ、スティーヴン・スペンダーの朗読会（「シェイクスピア書店」）。
一九三九年	三月	フロイント撮影による作家たちのカラー・ポートレート展（「本の友の家」）。
	五月	『フィネガンズ・ウェイク』刊行（ロンドン、ニューヨーク）。
一九四〇年	六月十四日	パリ陥落。その後、ペタン内閣によるヴィシー政権の成立。
	九月二十六日	ベンヤミン、スペイン入国がうまくいかずに、自殺。
一九四一年	一月十三日	ジョイス、チューリッヒで病死。
	三月一日	「本の友の家」二五周年を記念して、ヴァレリーが「わがファウスト」を朗読。
	十二月	「シェイクスピア書店」、事実上の閉店に。
一九四二年	八月	SBは敵国人として逮捕され、半年間収容所に。
一九四三年	六月	AM、貸本部門は閉鎖するが、書店は細々と営業を続ける。ベンヤミン、アーサー・ケストラー、ジークフリート・クラカウアーといったユダヤ人作家に手を差しのべる。
一九四四年	八月二十五日	連合軍によるパリ解放。従軍記者としてレジスタンス活動家と行動を共にしていたヘミングウェイは、ホテル・リッツを「解放」。
	八月二十六日	ヘミングウェイ、オデオン通りを「解放」し、SBと再会を果たす。
一九五一年		AM、「本の友の家」から身を引く。
一九五三年		AM『雑談集 *Les gazettes*（一九二五―一九四五）』刊行。
一九五五年	六月十九日	AM、メニエル病に苦しんだあげく、睡眠薬自殺。
一九五六年		SBは『パリのユリシーズ』（サンディエゴ）刊行［回想集の抜粋］
一九五八年		SB、ジョイスの原稿類を売却して、初めて裕福な身となる。
一九五九年		SB『シェイクスピア・アンド・カンパニー書店』（サンディエゴ）刊行。［回想集］
一九六一年	七月二日	ヘミングウェイ、猟銃で自殺。
一九六二年	十月六日	SB、オデオン通り一二番地のアパルトマンで死去。

参考文献（主要なものにかぎった。＊については、本文での引用は拙訳による）

大黒俊二『ヨーロッパの中世6　声と文字』岩波書店、二〇一〇年
宮下志朗『本の都市リヨン』晶文社、一九八九年
宮下志朗『読書の首都パリ』みすず書房、一九九八年
宮下志朗『書物史のために』晶文社、二〇〇二年
宮下志朗『本を読むデモクラシー　〝読者大衆〟の出現』刀水書房、二〇〇八年
宮下志朗『神をも騙す　中世・ルネサンスの笑いと嘲笑文学』岩波書店、二〇一一年
柳沼重剛『西洋古典こぼればなし』岩波書店、同時代ライブラリー、一九九五年
山田奨治『〈海賊版〉の思想　18世紀英国の永久コピーライト闘争』みすず書房、二〇〇七年
山田奨治『日本の著作権はなぜこんなに厳しいのか』人文書院、二〇一一年
ピエール＝イヴ・バデル『フランス中世の文学生活』原野昇訳、白水社、一九九三年
＊R・シャルティエ、G・カヴァッロ編『読むことの歴史　ヨーロッパ読書史』田村毅ほか訳、大修館書店、二〇〇〇年
イヴァン・イリイチ『テクストのぶどう畑で』岡部佳世訳、法政大学出版局、一九九五年
ピエール・ブルデュー『芸術の規則』全二巻、石井洋二郎訳、藤原書店、一九九五年
アドリエンヌ・モニエ『オデオン通り』岩崎力訳、河出書房新社、一九七五年
＊シルヴィア・ビーチ『シェイクスピア・アンド・カンパニイ書店』中山末喜訳、河出書房新社、一九七四年

創刊の辞

この叢書は、これまでに放送大学の授業で用いられた印刷教材つまりテキストの一部を、再録する形で作成されたものである。一旦作成されたテキストは、これを用いて同時に放映されるテレビ、ラジオ（一部インターネット）の放送教材が一般に四年間で閉講される関係で、やはり四年間でその使命を終える仕組みになっている。使命を終えたテキストは、それ以後世の中に登場することはない。これでは、あまりにもったいないという声が、近年、大学の内外で起こってきた。というのも放送大学のテキストは、関係する教員がその優れた研究業績を基に時間とエネルギーをかけ、文字通り精魂をこめ執筆したものだからである。これらのテキストの中には、世間で出版業界によって刊行されている新書、叢書の類と比較して遜色のない、否それを凌駕する内容ものが数多あると自負している。本叢書が豊かな文化的教養の書として、多数の読者に迎えられることを切望してやまない。

二〇〇九年二月

放送大学学長　石弘光

放送大学
学びたい人すべてに開かれた
遠隔教育の大学
〒261-8586千葉市美浜区若葉2-11
Tel: 043-276-5111　Fax: 043-297-2781　www.ouj.ac.jp

宮下志朗（みやした・しろう）

1947年生まれ。東京大学・放送大学名誉教授。フランス文学、書物の文化史。単著に大佛次郎賞を受賞した『本の都市リヨン』（晶文社）、『読書の首都パリ』（みすず書房）、『ラブレー周遊記』（東大出版会）、『モンテーニュ　人生を旅するための7章』（岩波新書）、『パリ歴史探偵』（講談社学術文庫）など。訳書にラブレー『ガルガンチュアとパンタグリュエル』全5巻（ちくま文庫、読売文学賞・日仏翻訳文学賞）、モンテーニュ『エセー』全7巻（白水社）、『ヴィヨン全詩集』（国書刊行会）、『フランス・ルネサンス文学集』全3巻（共編、白水社）、バルザック『グランド・ブルテーシュ奇譚』（光文社古典新訳文庫）、グルニエ『長い物語のためのいくつかの短いお話』（白水社）など。

文学のエコロジー

2023年9月10日　第一刷発行

著者　宮下志朗

発行者　小柳学

発行所　株式会社左右社
〒151-0051 東京都渋谷区千駄ヶ谷 3-55-12 ヴィラパルテノン B1
Tel: 03-5786-6030　Fax: 03-5786-6032
https://www.sayusha.com

装幀　松田行正＋杉本聖士

印刷・製本　創栄図書印刷株式会社

©2023, MIYASHITA Shiro
Printed in Japan　ISBN978-4-86528-385-3
本書のコピー・スキャン・デジタル化などの無断複製を禁じます。
乱丁・落丁のお取り替えは直接小社までお送りください

放送大学叢書

響映する日本文学史

島内裕子　定価一八〇〇円+税

古典から近代に至るまで、ひとつの文学作品はまた別の作家を産み、作家たちはまた新たな作品を作り続けてきた。

「響映＝響き合い、映じ合う」という視点からひもとく、ドラマティックな文学史入門。

方丈記と住まいの文学

島内裕子　定価一八〇〇円+税

鴨長明、兼好から鷗外、漱石、森茉莉、吉田健一まで。先人たちは、住居と日常に何を見出したのか。方丈記を源流とし、日本文学における住まい観の多様な広がりを浮き上がらせる、意欲的な一冊。

芸術は世界の力である

青山昌文　定価一九〇〇円+税

世界の根源的なパワーを表現しつくした、古典芸術の傑作に深く酔いしれるための西洋芸術入門書。感動と驚きと未知なる体験が待っている、放送大学人気教授による入魂の一冊。